43

CAUSERIES ASTRONOMIQUES

LES

MONDES

VOYAGE PITTORESQUE

DANS

L'UNIVERS VISIBLE

par

AMÉDÉE GUILLEMIN

Secrétaire de la Rédaction

DE LA PRESSE SCIENTIFIQUE DES DEUX-MONDES

PARIS

MICHEL LÉVY FRÈRES, LIBRAIRES-ÉDITEURS

2 bis, Rue Vivienne, 2 bis

1861

LES MONDES

V

IMPRIMERIE MÉNARD ET COMPAGNIE, A CHAMBÉRY.

CAUSERIES ASTRONOMIQUES

LES MONDES

VOYAGE PITTORESQUE

DANS

L'UNIVERS VISIBLE

par

AMÉDÉE GUILLEMIN

Secrétaire de la Rédaction

DE LA PRESSE SCIENTIFIQUE DES DEUX-MONDES

PARIS

MICHEL LÉVY FRÈRES, LIBRAIRES-ÉDITEU RS

2 bis, Rue Vivienne, 2 bis

1861

Est-ce de la rêverie? Est-ce de la science?

Telle sera, si je ne me trompe, la question de plus d'un lecteur, au moment d'ouvrir ce petit volume.

L'un et l'autre, répondrai-je; ou, si l'on préfère, de la rêverie à propos de science. Mais comme il y a rêverie et rêverie, qu'on me permette un mot d'explication.

Chaque année voit apparaître, mort-née, quelque nouvelle théorie astronomique, plus ou moins bizarre, pour ne pas dire plus, qui prétend réformer, renverser tout, et, sous prétexte de renouveler la science, la ramène tout bonnement aux naïves hypothèses de ses premiers âges : ajoutant ainsi un chapitre de plus au livre des erreurs et des préjugés.

D'autres, plus savants, se lancent dans le champ des conjectures, bâtissent des systèmes, et, devançant l'observation, veulent expliquer tout par une formule : race d'inventeurs quand même, qu'il ne faut pas condamner sans les entendre. Le dédain des savants officiels pour tout ce qui n'est pas reconnu et breveté par eux, justifie trop souvent leur audace :

« Croire tout découvert est une erreur profonde ;
« C'est prendre l'horizon pour les bornes du monde, »

a dit le poëte.

En deçà ou au delà des connaissances acquises, démontrées, tel est le double caractère de ces deux courants de production.

Or, j'avertis qu'on ne trouvera rien ici de pareil. La raison en est simple : je ne viens pas dévoiler les erreurs des astronomes, je ne réforme, je n'invente rien.

L'astronomie n'est point achevée, tant s'en faut, quelque avancée qu'elle soit.

Le système solaire lui-même, pour ne parler que de la portion du ciel qui nous environne, la constitution physique de la Lune, du Soleil et des planètes, nous sont-ils bien connus ? N'a-t-on pas, cette année même, découvert entre le Soleil et nous une planète restée jusqu'ici inaperçue malgré les perturbations que sa présence causait dans la marche de Mercure (1)?

(1) C'est un docteur en médecine, M. Lescarbault, qui a constaté le premier et décrit les circonstances du passage de cette nouvelle planète devant le disque du Soleil, le 23 mars 1860. Elle n'a pas été revue depuis.

Enfin, le monde des étoiles, des nébuleuses, déjà si riche en brillants phénomènes, combien ne nous promet-il pas encore de révélations?

Mais telle qu'elle est aujourd'hui néanmoins, je ne sache pas qu'il y ait au monde une science dont les enseignements offrent un aussi merveilleux ensemble, qui frappe plus vivement l'imagination par la poésie grandiose de ses découvertes, et l'intelligence par la généralité de ses lois.

Il suffit pour s'en convaincre de s'en tenir — et c'est ce que je ferai — aux résultats de l'observation et du calcul, sans dépasser en rien les conclusions de la science. Je laisse à d'autres la satisfaction de présenter au public ébahi les débauches de leur imagination pour les conceptions du génie.

Ce que je propose ici, c'est une promenade pittoresque à travers les espaces; une pérégrination par la pensée dans l'abîme où notre vue plonge de toute part, quand elle perce et dépasse les limites de notre atmosphère;

Puis, çà et là, quelques causeries sans prétention, sur les étonnants phénomènes dont nous sommes les spectateurs quotidiens;

Sans beaucoup d'ordre, j'en préviens, ou du moins sans un plan méthodiquement arrêté.

Ce petit livre n'est donc pas — son titre l'indique assez — un cours de cosmographie même élémentaire, encore moins un traité d'astronomie.

Cependant, qu'on n'y cherche pas non plus la science déguisée sous d'aimables fleurs de rhétorique, entremêlées d'épîtres versifiées, en l'honneur de la déesse Uranie ou de toute autre divinité mythologique.

Tout cela est fait; les traités abondent : depuis la simple description du monde, enseignée aux écoles, jusqu'aux savants traités d'astronomie mathématique; depuis les ouvrages lumineux et riches de détails d'Herschell et d'Arago, jusqu'à l'œuvre monumentale de Laplace.

Eh bien, il n'en est pas moins vrai que nous sommes fort ignorants en astronomie, hommes et femmes, jeunes et vieux. Cette ignorance a plusieurs causes.

En premier lieu, l'aridité des études préliminaires, géométrie, mécanique.... etc. Quel est l'homme d'affaires ou l'homme du monde, quelle est la femme dont la bonne volonté n'est point rebutée par la sécheresse d'un travail méthodique, qu'on présente comme indispensable?

Une seconde cause, dans notre société si agitée, si préoccupée des événements politiques, de la Bourse et des affaires, des chroniques de salon ou de théâtre, c'est le manque de temps, le défaut de loisir.

Interrogez le premier venu! Il brûle, à l'entendre, de s'initier aux principales données de l'astronomie, à ces magnifiques connaissances accumulées par deux mille ans d'observations et de découvertes, perfectionnées et agrandies par les travaux de soixante générations de savants.

Mais il n'a pas le temps!

Qu'on étudie soigneusement la tenue des livres en

partie double, le code, l'escrime et la pisciculture, rien de mieux. Ce ne sont point choses à dédaigner ; et, pour mon compte, je fais grand cas de la justice, de l'économie politique et domestique et de l'art gracieux d'éventrer ses semblables. Mais est-ce bien là toute la vie? la vie intellectuelle et morale, s'entend.

Savoir quelle figure nous faisons dans l'Univers infini, nous autres chétifs et orgueilleux habitants de la Terre, où nous sommes, où nous allons, ce que nous fûmes et ce que nous deviendrons un jour; faire connaissance, au moins une fois en notre vie, avec les mondes nos voisins, avec ces voyageurs enflammés dont les longues pérégrinations et les retours périodiques ou imprévus nous paraissent si étranges; ne voilà-t-il pas bien des points qui méritent un peu notre attention et notre curiosité? ce sont des distractions, je le veux ; mais, prises modérément, elles peuvent servir de diversion heureuse aux préoccupations du jour, aux péripéties du cours de la rente.

Si telle est votre pensée, cher lecteur, nous passerons quelques heures ensemble à deviser Soleils, Terre, Étoiles, Comètes; à suivre ces êtres gigantesques dans leurs routes mystérieuses.

Nous laisserons de côté l'attirail des démonstrations scientifiques. On peut s'en passer, soyez-en certain, pour arriver à se faire une idée juste des grands mouvements qui font de l'Univers visible la plus admirable de toutes les Harmonies.

Pour un tel voyage, quel sera notre guide? Je vous

le répète, un guide sûr, expérimenté, contrôlé par la pratique des observations, par la rigueur des raisonnements et la précision des calculs : la science astronomique, telle qu'elle est aujourd'hui enseignée et démontrée.

J'aurai besoin, il est vrai, du concours de votre bonne volonté et de votre indulgence. Mais avec votre aide, je ferai merveille. Puissiez-vous seulement lire ce volume, comme je l'ai composé : avec plaisir ! Puisse-t-il vous faire goûter la science, vous en inspirer l'étude passionnée, surtout vous en faire exprimer le suc, pour ainsi dire, et la philosophie !

Décembre 1860.

TABLE DES MATIÈRES

Pages.

PRÉFACE . . . . **V**

PREMIÈRE CAUSERIE.— Si l'astronomie est bonne à quelque chose 5

DEUXIÈME CAUSERIE. — Que le Soleil est une étoile de la Voie Lactée. — Son mouvement de translation.—Le mouvement est dans tout l'Univers ; de l'immobilité apparente des Cieux 15

TROISIÈME CAUSERIE. — Soleils et Nébuleuses. — Les mondes qui naissent et les mondes qui meurent. — Idée de la création continue . . 27

QUATRIÈME CAUSERIE. — L'aspect du ciel offre l'histoire ancienne des astres. — Vitesse de la lumière. — Idée de l'éternité du monde . 41

CINQUIÈME CAUSERIE. — L'Univers visible. 57

SIXIÈME CAUSERIE. — Soleils. — Planètes et Satellites. — Comètes 69

SEPTIÈME CAUSERIE. — Système solaire. — Mouvements de translation et de révolution. — Les lois de Képler 85

HUITIÈME CAUSERIE. — Système solaire. — Mouvements de rotation. — Les mouvements apparents et les mouvements réels 101

NEUVIÈME CAUSERIE. — Le Soleil. — Son mouvement de rotation. — Sa constitution physique 117

DIXIÈME CAUSERIE. — La Terre.—Sa forme et ses dimensions. — Mouvement diurne, et jour sidéral 135

ONZIÈME CAUSERIE. — Mouvement de translation de la terre. — Année. — Pourquoi les jours sidéraux sont plus courts que les jours solaires. — Inégalité des jours et des nuits. — Saisons 147

Douzième causerie. — Précession des Equinoxes
et Nutation 165
Treizième causerie. — De l'Attraction universelle 177
Quatorzième causerie. — La Lune. — Son mou-
vement autour de la terre et ses phases. —
Sa rotation. — Idée générale de sa constitu-
tion physique 193
Quinzième causerie. — Les Eclipses de Soleil et
de Lune 217
Seizième causerie. — Planètes inférieures. —
Excursion dans Vénus et dans Mercure 233
Dix-septième causerie. — Mars. — Les astéroïdes
télescopiques. — Le monde de Jupiter 251
Dix-huitième causerie. — Le monde de Saturne.
— Uranus et Neptune. 279
Dix-neuvième causerie. — Les comètes. — Leurs
mouvements périodiques. — Leur constitution
physique 301
Vingtième causerie. — Origine et formation du
monde solaire. — Philosophie de l'astrono-
mie 321

ERRATA

Page 31, ligne 22, au lieu de : *orange*, lisez : *orangé*.
Page 52, ligne 23, au lieu de : 38 *millions*, lisez 76
millions.
Page 183, ligne 6, au lieu de : *que* mesurerait, lisez:
qui mesurerait.
Page 189, ligne 8, au lieu de : 0,09, lisez : 0,9.

LES MONDES

PREMIÈRE CAUSERIE

Si l'Astronomie est bonne à quelque chose.

Si, dans une de ces conversations variées, sérieuses et gaies tout à la fois, philosophiques et néanmoins familières, de ces conversations comme on n'en voit malheureusement pas assez, vous abordez le champ de l'astronomie, tous les auditeurs prêtent aussitôt l'oreille. Planètes, soleils, comètes et nébuleuses déroulent à l'instant à l'imagination enchantée leurs orbes prodigieux, leurs merveilleux phénomènes. La folle du logis s'enfonce, et l'esprit avec elle, dans l'infini !

C'est qu'il y a dans l'étude, si superficielle qu'elle soit, de cette science un charme qui pénètre et entraîne. Ce charme dure peu sans doute; et, la conversation finie, chacun retourne à ses affaires, aux préoccupations du moment.

Si maintenant, entrant dans quelques détails plus techniques, vous expliquez quelques-uns des travaux auxquels se livrent les astronomes de profession ; si vous décrivez quelques-uns de leurs instruments si ingénieux, construits avec une perfection si grande, et que vous ayez la prétention d'en expliquer le mécanisme, non-seulement vous êtes peu écouté et l'on ne vous suit plus, mais plus d'un de vos auditeurs se demande si astronome et monomane ne sont pas deux mots synonymes.

En fin de compte, vous lisez, écrite sur tous les visages, cette question : A quoi sert l'astronomie?

Ce qui veut dire en bon français : Ces curieux résultats de l'observation et du calcul, que vous faites passer sous nos yeux, qui caressent notre imagination et nous font faire à peu de frais un voyage dans le ciel, nous voulons bien y croire. Nous ne vous chicanerons pas trop sur les preuves. Nous avons la presque certitude que vous ne vous moquez pas de nous. Mais, en dehors de la pure curiosité, à quoi servent-ils? Des lunettes et des télescopes, passe encore! Pour deux sous, au Pont-Neuf, nous pouvons nous passer cette fantaisie et examiner comme M. Arago lui-même les satellites de Jupiter et les taches du soleil. Mais ces observations si difficiles et si précises, mais ces observatoires si coûteux, et ces calculs arides, et tout le grimoire des formules mathématiques, à quoi bon tout cela? je vous le demande.

C'est à cette question que je me propose (prenant la cause des astronomes, en de bien faibles mains sans doute) de répondre aujourd'hui.

A bien prendre la chose, la question est complexe; elle est double tout au moins.

Chez les esprits méditatifs et philosophes, elle signifie : Quel est l'intérêt de l'astronomie, au point de vue intellectuel et moral? Sert-elle aux progrès de l'humanité sous ces deux faces? Voilà pour les uns.

De la part des esprits positifs et utilitaires, la question présente un autre sens; elle peut se traduire en ces termes :

Étant donnée telle somme d'argent, efficacement employée aux progrès de l'astronomie, combien cette somme rapporte-t-elle pour cent à la société qui en fait l'avance ? Problème assez intéressant comme vous voyez, et dont j'aurais plaisir, cher lecteur, à effleurer la solution. Mais à tout seigneur tout honneur ! Je commence par la première.

Veuillez d'abord vous reporter par la pensée au-delà des quinzième et seizième siècles, quelque loin que vous voudrez dans l'histoire, et voyez l'opinion générale que l'on se faisait alors des relations possibles de l'homme avec le monde. La terre immobile était comme le support du ciel entier. C'est devant elle, et pour elle seule, que s'exécutaient les mouvements diurnes et nocturnes des corps célestes. Les plus hardis des anciens faisaient du soleil un corps « aussi gros que le Péloponèse. » Et la foule voyait dans les astres les ornements étincelants du séjour des Dieux ! Au moyen âge, le ciel est le paradis, et sous la terre résident les maudits de Dieu, les proies éternelles du démon. L'humanité est seule dans le monde : n'ayant devant les yeux que le spectacle incessant de ses fautes, de ses crimes, de ses erreurs, elle est rongée de la lèpre de l'égoïsme.

La découverte d'un nouveau monde, de nouveaux continents et de nouvelles nations, en élargissant son domaine, élargit aussi le cercle de ses sentiments et de ses idées; mais combien plus, lorsque Képler, Galilée, Copernic, ces génies hardis et profonds, lui découvrirent le ciel lui-même! L'homme sentit enfin la terre se mouvoir sous ses pieds, l'air circuler alentour; le ciel se peupla comme par enchantement!

Dès lors, l'humanité ne fut plus seule dans l'univers. Elle se reconnut des sœurs. Elle en devint plus *humaine,* si je puis ainsi dire, et l'harmonie des mondes lui fut enfin dévoilée! Grande et magnifique éducation, à peine ébauchée même de nos jours! Initiation sublime, qui rayonne dans toutes ses œuvres et réagit tout ensemble sur sa morale et sur ses idées!

En effet, bien loin que le monde entier apparût à ses yeux comme un spectacle uniquement fait pour récréer sa vue, la terre, réduite à ses proportions véritables, ne fut plus qu'un grain de sable dans l'immensité. La terre eut dans les planètes, des sœurs constituées comme elle et souvent mieux dotées, exécutant autour du foyer commun des mouvements pareils, soumis aux mêmes lois. Le télescope, amplifiant la puissance visuelle, découvrit sur ces terres l'organisation et la vie. Le monde devint une harmonie, un concert.

Bien plus, le système solaire, avec ses prodigieuses dimensions, s'évanouit bientôt lui-même : il ne fut plus qu'un point, comparé aux distances immensurables qui le séparent des cortéges éblouissants des soleils et des mondes (1).

(1) Pendant longtemps on ne put calculer d'une manière appréciable la distance qui nous sépare de l'étoile prétendue fixe la plus voisine de notre système solaire. Le perfectionnement des mesures micrométriques a permis depuis d'obtenir approximativement cette distance. Comme les nombres qui dépassent une certaine limite n'offrent plus guère de sens à notre imagination, nous préférons, pour donner à ceux de nos lecteurs qui n'ont pas étudié l'astronomie, une idée un peu nette des résultats obtenus, employer la comparaison suivante :

Un boulet de canon, se mouvant sans interruption avec la vitesse de 400 mètres par seconde, mettrait, pour franchir l'intervalle moyen qui nous sépare du soleil, plus de dix années !

Or, l'étoile la plus voisine du système solaire est 200,000 fois plus loin de nous que nous ne le sommes du soleil. Il faudrait donc au boulet plus de deux millions d'années pour y parvenir !

Quelle idée nouvelle de la nature la médita-
tion ne fournit-elle pas à l'homme, en présence
de spectacles si nouveaux , de si merveilleuses
connaissances! Que nos lecteurs veuillent bien
s'y arrêter un instant. Qu'ils mûrissent et creu-
sent les réflexions qui en surgissent. Qu'ils passent ensuite les croyances anciennes au creuset
de la logique! Et besoin ne nous sera de parcourir avec eux l'histoire des idées dans les
trois derniers siècles, pour leur faire saisir l'in-
calculable portée des découvertes de l'astronomie.

D'ailleurs, je le répète, ces causeries n'ont
qu'une prétention : solliciter la pensée. Je ne
puis avoir la prétention d'instruire. Il faut pour
cela plus de temps, de compétence et d'espace.

Un mot maintenant de réponse à la seconde
question : Utilité de l'astronomie au point de
vue des intérêts purement matériels.

Certes, s'il me prenait la fantaisie de publier,
comme tant d'autres l'ont fait dernièrement,
ma brochure, et de lui donner ce titre para-
doxal,

Influence des ECLIPSES DES SATELLITES DE JU-
PITER *sur le prix du coton et du café*;

Je risquerais fort de passer pour un fou, et plus d'un lecteur charitable solliciterait mon entrée aux Petites-Maisons.

Et cependant—je ne dirais pas toute la vérité sur ce sujet, — mais à coup sûr je dirais la vérité.

Maintenant, que je transforme ma proposition en cette autre :

Du perfectionnement de la navigation au long cours, dans ses rapports avec les intérêts commerciaux des Deux Mondes;

Et tous ceux qui riaient si fort tout à l'heure m'auront à l'instant compris. Or, ces deux propositions sont corrélatives, et la première n'est qu'un cas particulier de la seconde. Veuillez pour vous en convaincre me suivre un instant.

La première condition de sécurité d'un navire en pleine mer, abstraction faite des intempéries de toute sorte, c'est, tout le monde le comprendra, la nécessité de connaître sa route aussi exactement que possible. Et comme l'uniformité des plaines maritimes n'offre le plus souvent aucun point distinctif ou saillant, c'est dans l'aspect varié des phénomènes célestes qu'on a dû chercher un point de repère.

La position d'un lieu sur le globe terrestre est déterminée par deux éléments : la *longitude* occidentale ou orientale, comptée à partir d'un méridien fixe, celui de Paris, par exemple; la *latitude* boréale ou australe, comptée à partir du cercle de l'équateur. Tout cela s'apprend en géographie.

Un marin doit donc à chaque instant connaître sa longitude et sa latitude.

Or, en premier lieu, c'est par la hauteur, au-dessus de l'horizon, des étoiles, qu'il pourra calculer sa latitude. C'est par la position relative du soleil, de la lune et de certaines étoiles déterminées, jointe à la connaissance de l'heure de Paris donnée par un bon chronomètre, qu'il arrive à calculer sa longitude. Tous les phénomènes dont on détermine avec précision l'époque, comme les éclipses de soleil ou de lune, le passage derrière le disque lunaire d'étoiles ou de planètes, les éclipses des satellites de Jupiter peuvent servir au même but.

Des formules algébriques lient toutes les données des phénomènes et du temps. Des instruments spéciaux, tels que le sextant, servent aux observations. Je fais grâce des uns et des autres.

Ce que je tiens à faire comprendre, c'est que, de la perfection des *Tables astronomiques* à l'usage des marins, dépend l'exactitude de la détermination du lieu précis du globe où se trouve un navire, par suite de la direction de sa route. D'une erreur dans les Tables, résulte nécessairement une indication fausse. De là, perte de sa route, possibilité de donner contre un écueil, insécurité de la navigation au long cours, et, pour parler plus net, impossibilité de cette navigation.

Le commerce inter-océanien n'est donc devenu régulier et facile que grâce à la formation des *Tables* à l'usage des marins, et ces tables, connues en France sous le nom de *Connaissance des temps*, n'ont pu être calculées qu'à l'aide des découvertes astronomiques les plus élevées, des progrès mathématiques les plus transcendants, du perfectionnement le plus savamment imaginé des grands instruments des observatoires.

Si donc, les deux Amériques, l'Océanie, les archipels des Antilles, et tant d'autres colonies versent aujourd'hui sur nos marchés les trésors de leurs productions ; si, grâce à ces dernières, vous obtenez à bon marché, cher lecteur, les jouissances du luxe, le coton, le café, remerciez-en les savants qui ont fait de l'astronomie la plus parfaite et la plus magnifique des sciences. Saluez les grands noms des Galilée, des Copernic, des Képler, des Newton, des Laplace, des Herschell, des Arago, et tant d'autres qui m'échappent, mais que la postérité n'oubliera jamais!

DEUXIÈME CAUSERIE

—

Que le Soleil est une Étoile de la Voie Lactée. — Son mouvement de translation. — Le mouvement est dans tout l'Univers ; de l'immobilité apparente des Cieux.

Je viens d'effleurer, en passant, la question de l'utilité de l'Astronomie, au double point de vue des idées et des intérêts matériels.

J'aurais pu, entrant dans de plus grands détails, donner à mon sujet une plus grande étendue, montrer les applications de cette belle science à la division du temps, à la haute horlogerie, aux calendriers, à la topographie, à la formation des bases du cadastre.

Mais n'aurais-je pas ainsi dépassé mon but ?

N'aurais-je point fatigué ceux d'entre mes lecteurs qui possèdent à fond ces connaissances,
sans pour cela me faire lire des autres ?

D'ailleurs, l'occasion se présentera, dans le
courant de nos pérégrinations et de nos causeries, de revenir sur cette matière. Vous verrez
alors comme les réflexions se presseront en
foule et découleront naturellement du sujet,
philosophiques et morales, pratiques et spécu-
latives, poétiques et religieuses. Pour moi, je
me bornerai, autant que faire se pourra, au rôle
de simple cicerone.

Nous allons d'abord, laissant de côté la Terre
et ses habitants, parcourir d'un vol rapide le
champ de l'Astronomie, c'est-à dire la partie
de l'Univers accessible à notre vue, ou à nos
yeux aidés des plus puissants instruments d'optique.

Nous pourrons ainsi nous rendre compte de
la position que notre globe occupe dans le
monde, du système dont il fait partie, des mouvements de ce système, des dimensions enfin
de la portion de l'Univers que nous aurons parcourue.

Où sommes-nous ? Où allons-nous ?

Et quand je m'exprime ainsi, je ne fais allusion ni à notre mouvement de rotation diurne,—tout le monde le connaît, — ni même à notre mouvement de révolution autour du soleil, — les moindres traités de cosmographie nous l'enseignent, et d'ailleurs, nous nous occuperons de tout cela à notre retour; — mais bien à notre grand voyage à travers l'infini des cieux.

D'abord, où sommes-nous?

Savez-vous, cher lecteur, ce qu'est la traînée lumineuse du chemin de St.-Jacques, si gracieusement poétisée par la mythologie grecque, qui nous a transmis son nom moderne, la voie de lait, la Voie Lactée?

Cette immense couronne, divisée en deux branches sur environ moitié de sa longueur, n'est autre chose qu'une gerbe éblouissante d'étoiles, qu'une distance énorme rapproche et confond à nos yeux. Chacun de ces grains imperceptibles, chaque élément de cette poussière céleste est un soleil, quelquefois, souvent même, un cortége de plusieurs soleils. Et, pour que vous ne l'ignoriez point, de soleils aussi gros, aussi lumineux que le nôtre!

La Voie Lactée forme comme un immense anneau qu'on aurait disjoint en partie, à peu près comme ces bagues dont le cordon se dédouble pour porter une pierre précieuse.

Eh bien, c'est vers le centre de cet anneau que nous sommes placés ! Quand je dis nous, ce n'est point de la Terre seule que je veux parler, mais du système solaire tout entier, du Soleil, de la soixantaine de planètes qui l'entourent, des dix-neuf satellites enfin dont notre Lune fait partie.

Le Soleil, en un mot, est une des étoiles centrales de la nébuleuse lactée !

Imaginez donc que, nous élançant bien au delà de cette immense couronne, dans les profondeurs de l'éther, nous soyons parvenus à une assez grande distance pour la voir se réduire, selon les lois de l'optique, aux dimensions d'une de ces grandes taches blanchâtres dont le ciel est parsemé. Prenez alors le télescope et regardez. Voyez-vous cet anneau se résoudre en une infinité de points lumineux ? Puis au centre, à peu près, apercevez-vous cette étoile de moyenne grandeur ? C'est notre soleil ! Ou plutôt c'est notre monde solaire, puisque soleils, planètes, satellites, tout à cette distance se réduit à un point unique.

Ce résultat, dont l'imprévu étonne toujours qui l'apprend pour la première fois, n'est pas l'œuvre de l'imagination d'un poète. C'est la suite des mesures les plus précises des astronomes, une conséquence certaine du jaugeage de la voûte céleste. N'est-ce pas tout simplement sublime ?

Si maintenant nous examinons la nébuleuse immense au sein de laquelle nous sommes plongés, si le télescope nous montre un à un dans son champ optique chacun de ses soleils, nous verrons avec surprise un grand nombre d'étoiles, simples lorsqu'elles sont examinées à l'œil nu ou soumises à un faible grossissement, se dédoubler et se résoudre en deux, en trois et jusqu'en sept étoiles. Ces groupes de soleils, presque toujours variés de couleur, et que l'on compte aujourd'hui par dizaines de mille, se meuvent les uns autour des autres, ou si l'on veut, autour de leur centre commun de gravité. Les étoiles dispersées dans le ciel qui ne semblent pas appartenir à la voie lactée, offrent le même curieux phénomène. Ainsi l'étoile polaire est un de ces soleils doubles.

Or, chose digne de remarque, les mouvements de ces soleils s'exécutent d'après les mêmes lois qui régissent notre monde planétaire : on connaît pour un grand nombre la durée de leurs révolutions.

Et, par une conséquence que comprendront ceux de nos lecteurs qui sont initiés aux lois de la mécanique céleste, on a pu déduire de leurs mouvements, leurs masses, leurs poids du moins approximatifs (1). L'astronomie en est donc arrivée à ce point, de peser les soleils qui nous envoient leur lumière à des milliards de lieues de distance, comme elle avait déjà pesé le soleil, la terre et les planètes !

Ainsi cette voûte du ciel dont les points brillants, les planètes exceptées, semblent immobiles et conservent entre eux des positions relatives en apparences fixes, cette voûte, dis-je,

(1) Rien n'étonne plus les personnes étrangères aux questions de mécanique céleste que la prétention, d'ailleurs très-bien justifiée, de la science, de donner la masse, le poids d'un corps céleste. Nous essaierons plus tard, quand nous aurons à parler de l'attraction, de la pesanteur, de faire comprendre tout au moins la possibilité du problème.— Ajoutons ici seulement que, pour les soleils dont nous parlons, il ne s'agit que du rapport de leurs masses.

est en perpétuel mouvement dans chacun de ses points.

Bien plus, en dehors de ces mouvements de révolution, l'observation a constaté de nombreux mouvements de translation. La majeure partie s'exécute en ligne droite, de sorte que ces astres défilent avec une majestueuse lenteur devant nous, passagers à bord d'un navire céleste, comme les arbres et les objets de la rive fuient derrière un bateau.

On a pu, de milliers d'observations de ce genre, déduire pour la Terre la direction de son grand mouvement de translation. C'est vers la constellation d'Hercule que notre Soleil dirige sa course mystérieuse, et — terre, planètes, lune — entraîne tout avec lui !

Quel est l'astre, ou mieux peut-être, quel est le groupe vers lequel nous gravitons ainsi ? On l'ignore ; le saura-t-on jamais ? Le mouvement qui nous entraîne n'en est pas moins certain, et les astronomes ont pu, par la mesure du déplacement des étoiles qui rend sensible ce mouvement même, en calculer approximativement la vitesse.

Où allons-nous ?

. . . .

Je laisse à votre imagination, cher lecteur, le plaisir de voyager à travers l'espace sans borne. Fiez-vous à la locomotive ! Elle n'a pas déraillé de mémoire de soleil !

Mais avant de vous mettre en route, veuillez me permettre quelques observations. Ce sera, si vous voulez bien, la moralité de notre présente causerie.

Il est de la nature de l'esprit humain de rapporter tout à l'homme. Et, pour ce qui concerne son domicile, de tout rapporter à la Terre. On a dit sans raison : *les sens nous trompent.* C'est une erreur, les sens nous transmettent, lorsqu'ils sont en état de santé, leurs impressions avec exactitude. C'est notre jugement qui nous trompe, lorsque nous nous abstenons de soumettre nos sensations et les idées qui en dérivent aux lois de la logique, ou, si vous aimez mieux, du bon sens.

C'est ainsi que la Terre, écrasant notre petite personne de ses colossales dimensions, nous semblait la plus imposante des masses : tandis que le raisonnement, basé sur les lois de la géométrie et de l'optique, n'en fait plus qu'un

grain de sable en comparaison des masses solaires. Nos sens nous trompaient-ils ? Non. Mais
nous en tirions d'abord, par un jugement erro-
né, de fausses conséquences. La science, la
méthode, réformant nos jugements, viennent
corriger notre première erreur.

Par une semblable illusion, les cieux nous
semblent immobiles : ils exécutent à nos yeux,
et tout d'une pièce, leur mouvement quotidien.
Aussi la poésie religieuse nous représente-t-elle
la voûte du firmament comme l'image du calme,
du repos absolu.

Rien n'est plus contraire à la vérité. La Terre
n'est pas plus immobile que le ciel, et les étoiles prétendues *fixes* exécutent en tout temps
leurs immenses évolutions.

Tout se meut dans la nature ; à la surface
du globe tous les phénomèmes sont des phénomènes de mouvement ; mouvements variés qui
se transforment les uns dans les autres, mouvements vibratoires, de rotation, de translation.
Pas une molécule qui soit en repos. Pas un
atome qui n'oscille tout au moins dans une certaine sphère.

Pareillement, aucun corps céleste qui ne se

meuve, autour de son axe d'abord, puis autour de son foyer d'attraction, pour être en même temps emporté avec son système dans quelque orbite immense.

Si les observations nous conduisent à la découverte du mouvement du système solaire dans la direction de la constellation d'Hercule, si les lois de la mécanique céleste nous obligent à en imaginer le foyer soit dans un astre énorme, soit, comme il est plus probable, dans un groupe d'étoiles, les mêmes lois nous conduisent, par une analogie irrésistible, à faire mouvoir ce centre lui-même, puis enfin la nébuleuse lactée, sans que nous sortions pour cela des bornes de l'univers visible.

Spectacle grandiose! conception sublime, que l'homme a pu former seul, avec le secours de ses faibles sens, de sa raison, de son industrie! résultat d'autant plus admirable que les préjugés, les croyances surannées, les traditions de l'enfance de l'humanité se sont perpétuées jusqu'à nous avec un caractère sacré de révélation surnaturelle!

Ne nous étonnons donc point des agitations de la vie publique et privée! Le mouvement est la loi même de l'être. Efforçons-nous seulement de combiner nos efforts, de leur donner une tendance légitime vers un but défini, et corrigeons dans la pratique les erreurs de notre imagination par les règles rigoureuses d'une logique sévère.

La science, même en dehors de son utilité positive, est donc douée, pour qui veut réfléchir, d'une autre sorte d'utilité que je nommerais philosophique, si je ne craignais de me servir d'un mot trop ambitieux. Elle est une école méthodique où l'on peut aiguiser ses armes au profit du progrès de l'humanité, en même temps que se distraire des agitations sociales.

Puis, elle élargit le cercle de nos idées, assigne à la pensée son véritable domaine, dissipe les fantômes de la superstition, sans rien faire perdre au sentiment du beau, du prestige de l'imagination et de la poésie.

TROISIÈME CAUSERIE

Soleils et Nébuleuses. — Les mondes qui naissent et les mondes qui meurent. — Idée de la création continue.

Lorsque Fontenelle, dans son charmant ouvrage *De la Pluralité des mondes*, émettait l'hypothèse, hardie pour son siècle, de la possibilité de planètes habitées, il n'osait sortir encore de notre monde planétaire, et cela se conçoit. Bien étrange cependant parut cette idée qui renversait toutes les idées reçues ! La tradition n'apprenait-elle point aux bons vieux ancêtres de nos pères que la Terre est l'unique habitation des êtres vivants dans l'univers ; que tout a été fait pour elle, et que les étoiles et la lune

existent uniquement pour réjouir la vue de
l'homme et orner le spectacle des nuits ; que le
Soleil, l'unique soleil, qui fut assez bon pour
arrêter un beau jour sa course quotidienne,
avait été créé et mis au monde pour mûrir les
moissons de l'homme? Quel bouleversement
dans le domaine de la foi traditionnelle que
d'admettre l'existence, dans Vénus, dans Jupiter et *tutti quanti*, d'humanités aussi raisonna-
bles ou aussi folles que la nôtre ! Fontenelle,
je vous le laisse à penser, n'ébranlait-il point
ainsi les bases de l'autorité et les fondements
de l'ordre social? Qu'allaient devenir vos mœurs
si pures, charmantes marquises, si vous quit-
tiez les élégants boudoirs du siècle élégant de
Louis XV, et vos séduisants manéges, et votre
coquetterie gracieuse, pour fatiguer vos beaux
yeux à lire de si philosophiques impiétés ?

Eh bien! n'en déplaise à M. Capefigue, le
champion et le réhabilitateur de Mme de Pompa-
dour, Fontenelle a été lu, goûté, applaudi, sans
dommage pour les mœurs, bien au contraire :
aujourd'hui il n'effraie plus personne, et si son
livre, à la fois sérieux et léger, ne se lit plus
guère, c'est parce que la Science nous a con-

duits bien plus loin encore. Mes lecteurs en vont juger comme moi.

Le Soleil ! quand on prononce ce nom sonore, il semble qu'il s'agisse d'un être unique, qui est comme la personnification de la chaleur, de la fécondité, de la lumière. Le sentiment qu'on éprouve alors nous fait, jusqu'à un certain point, comprendre le culte voué à l'astre radieux par tous ou presque tous les peuples des âges primitifs. Or, cette idolâtrie, à tout prendre, grandiose, était fondée sur l'ignorance de l'état des corps célestes. Le Soleil n'est point unique de son espèce ; ce n'est plus un nom *propre*, mais un simple nom *commun* pour celui qui, s'élançant au delà de notre monde planétaire, désire faire connaissance avec les régions lointaines du ciel visible. Des milliards d'êtres identiques peuplent l'étendue des espaces célestes. A part les planètes, qui se distinguent par l'absence de scintillation et par un mouvement propre autour de notre Soleil, tous les points brillants dont le ciel est parsemé sont autant de soleils.

Suivez-moi donc un instant encore, chers lecteurs, et si vous n'êtes pas trop fatigués, reprenons notre course à travers les espaces.

Ce qui caractérise notre Soleil, ce qui le distingue des corps semblables à la Terre, comme nos Planètes ou notre Lune, c'est qu'il brille de sa lumière propre, tandis que Jupiter, par exemple, nous renvoie par réflexion la lumière même du Soleil. Or, tel est précisément le caractère spécial de la lumière stellaire : les étoiles nous éclairent de leur propre lumière, qu'elles n'empruntent donc pas à notre Soleil, comme les planètes.

Une preuve bien simple de ce fait, c'est que les étoiles les plus voisines du Soleil sont à une distance de cet astre plus de 200 mille fois aussi grande que celle, déjà si énorme, qui nous en sépare nous-mêmes ; c'est que le Soleil, vu à cette distance par un observateur situé dans l'étoile la plus voisine, lui paraîtrait au maximum une étoile de deuxième grandeur ; c'est enfin qu'un si faible éclat serait impuissant à produire, par voie de réflexion, la lumière éblouissante des *Sirius*, des *Beteigeuse*, des *Aldébaran*, des étoiles de première grandeur.

Mais dans cette multitude de soleils, quelle variété prodigieuse !

Variété au point de vue de l'éclat, de la grandeur d'abord, comme on dit en style d'astronome; ce qui, par parenthèse, n'entraîne aucune rigoureuse conséquence soit sur la grosseur réelle des soleils, soit sur leurs distances comparatives à notre Terre.

Variété sous le rapport de la couleur. Etoiles blanches, bleu clair, bleu sombre, grenat, orangé, rouges, verdâtres : toutes les couleurs et toutes les nuances s'y trouvent, soit isolées, soit en combinaison par groupes de Soleils. Et ces couleurs ne sont pas des illusions, des effets d'optique; les expériences les plus concluantes et les plus simples ont établi d'une manière irréfutable que ce sont bien là les réelles couleurs de leurs rayons lumineux.

Je laisse à mes lecteurs le soin d'imaginer les curieux effets de lumière que peut produire pour l'habitant d'une des planètes de γ d'Andromède la présence isolée ou simultanée des deux soleils de son système, dont l'un présente la couleur de l'orange le plus beau, dont l'autre est vert d'émeraude magnifique. Certaines étoiles multiples, groupées par les lois d'une attraction sympathique, forment des systèmes de soleils, tournant majestueusement les uns autour des autres, et présentant presque toutes les couleurs de l'arc en ciel.

Parmi la multitude d'étoiles visibles, c'est la couleur blanche et la couleur bleue qui dominent.

Enfin il est rare qu'une étoile double ait ses deux étoiles composantes d'une lumière identique.

Je ne reviendrai pas sur le mouvement propre des soleils, ni sur leurs orbites de révolution les uns autour des autres, dont la durée, pour ceux qu'on a mesurés du moins, donne d'immenses périodes de douze siècles. Nous avons constaté dans notre précédente causerie, que l'immobilité des Soleils n'est qu'apparente , qu'ils se meuvent tous, au contraire, en plusieurs sens avec d'effroyables vitesses, et que le ciel, dont l'image nous semble celle du repos, est le théâtre des évolutions les plus rapides dont nous ayons jamais eu l'idée.

Mais je m'arrêterai sur un phénomène peu connu en dehors de la science. Je veux parler de la variabilité des Soleils, soit dans leur éclat, soit dans leur couleur.

Et d'abord des étoiles nouvelles ont apparu, puis successivement, diminuant de grandeur, ont fini par disparaître. Telle est l'Etoile de 1572, observée par Tycho-Brahé. « Apparue subitement dans le ciel, avec un éclat qui surpassait celui de Sirius, de la Lyre, de Jupiter, — c'est Tycho lui-même qui parle, — on ne pouvait la comparer qu'à Vénus, à sa plus grande proximité de la Terre. Après avoir diminué progressivement pendant près de deux années, elle passa d'une lumière blanche à la couleur rouge, puis au jaune, et reprenant sa primitive couleur, elle disparut. »

Pendant les dix-sept mois de cette apparition si étrange, elle conserva la même position dans le ciel.

D'autres, comme η d'Argo, éprouvent des variations d'intensité extrêmement rapides et irrégulières.

Enfin les étoiles dites périodiques parce qu'elles éprouvent, dans des périodes régulières et déterminées, soit des changements d'éclat, soit des disparitions, sont inscrites en assez grand nombre sur les catalogues des astronomes.

Les unes, comme Omicron de la Baleine, ont une période de plus de trois cents jours ; les autres, comme Algol de la Tête de Méduse, ont une période qui ne dépasse guère deux jours.

Maintenant comment expliquer ces étonnantes variations ? Est-ce par des rotations qui nous font voir tour à tour des faces diverses de ces corps ? Est-ce par des révolutions de corps opaques qui viennent périodiquement éclipser par degré chacun de ces soleils ? Est-ce enfin, comme on l'a supposé, par des interpositions de nuages cosmiques, d'épaisseur plus ou moins variable ? Ou encore, est ce par ces diverses causes, agissant çà et là, suivant les astres qu'on considère ?

Ce sont d'intéressantes questions que l'astronomie ne tranche point encore, parce que, différente en cela de bien des doctrines, elle attend, pour affirmer une loi, que l'observation, l'expérience, la logique la plus rigoureuse enfin aient prononcé.

Mais quelle que soit la cause de ces curieux phénomènes, quel brillant essor ne donnent-ils pas à l'imagination ? Comme la pensée humaine, en scrutant ces immenses problèmes dont le secret est à des milliards de lieues de nous, sent s'élargir le champ de ses méditations ! Et comme, en rapetissant nos individualités sous le rapport des dimensions matérielles, de tels résultats justifient le noble orgueil d'avoir déjà reconnu, calculé, approfondi tant de mystères avec le secours de notre raison ! Ah ! ne l'oublions jamais, c'est la raison échauffée par le cœur, élevée par la contemplation des grandes choses de la nature, qui seule peut, dans les revers ou les désillusions de l'histoire de chaque jour, relever nos esprits, stimuler nos courages et nous replacer, hardis et confiants, à notre tâche, dans le grand atelier de l'émancipation universelle !

Mais revenons à nos Soleils.

C'est parmi les étoiles doubles, multiples, que les couleurs verte et bleue se rencontrent le plus fréquemment. On s'est demandé si les étoiles bleues ne sont pas des soleils en voie de décroissement, des soleils qui peu à peu s'éteignent ; ou si la combustion des enveloppes gazeuses qui les entourent ne s'y opère pas à divers degrés d'intensité. On sait qu'un gaz en ignition, dont la condensation s'affaiblit, passe à la couleur bleue.

Si maintenant, du monde des soleils isolés ou multiples, vous voulez passer avec moi à celui des nébuleuses, vous rencontrerez des transformations non moins extraordinaires, des phénomènes plus étranges encore; vous assisterez pour ainsi dire à la création.

Le nom de *nébuleuses* s'applique également à des amas considérables d'étoiles, condensées par la distance, et à des taches blanchâtres diffuses qui ne paraissent pas, aux plus forts grossissements, devoir se résoudre en étoiles distinctes.

La voie lactée dont nous avons parlé dans notre dernière causerie est une nébuleuse stellaire, et pour le répéter encore, notre Soleil en est une des étoiles composantes.

Mais ce n'est pas la seule, et pour ne parler que de l'hémisphère boréal, le seul qui soit visible pour nous autres habitants d'Europe, on évalue à plus de onze cents le nombre des nébuleuses que l'observation a constatées, et qui sont visibles soit à l'œil nu, soit à l'aide des télescopes et des lunettes.

Elles affectent les formes les plus diverses; les unes allongées et presque rectilignes, les autres en forme de spirales circulaires, en forme d'anneau ou d'éventail.

La forme circulaire, qui en réalité est sphérique ou globulaire, est la plus générale.

C'est une nébuleuse de ce dernier genre qui a fourni à l'observation, dans un espace qui n'est pas égal au dixième du disque lunaire, le nombre prodigieux de 20,000 étoiles.

Parmi les nébuleuses diffuses, et qui sont vraisemblablement des amas de matière cosmique, à divers états de condensation, les formes les plus bizarres, les plus tourmentées se présentent à l'œil de l'observateur.

Tout semble démontrer que la grande loi de l'attraction universelle, qui régit tous les astres connus, planètes, comètes et soleils, détermine aussi les mouvements de ces masses immenses. De là des condensations successives, des formations de centres où affluent la lumière et la matière, en un mot, la création de véritables soleils.

Dans certaines nébuleuses diffuses, le noyau est unique, environné d'une couronne de matière gazeuze ; dans d'autres, les points centraux sont doubles ou multiples. « Tous

4

« ces états de la matière nébuleuse indiqués
« par la théorie, dit Arago, dans son *Astrono-*
« *mie populaire*, l'observation les avait révé-
« lés d'avance. L'accord est aussi satisfaisant
« qu'on puisse le désirer. Seulement, au lieu
« de suivre les transformations pas à pas dans
« une nébuleuse unique, on en a constaté la
« marche et les progrès par des observations
« d'ensemble. N'est-ce pas ainsi qu'opère le
« naturaliste quand il est forcé de décrire,
« pour tous les âges, le port, la taille, les for-
« mes les apparences extérieures des arbres
« composant les forêts qu'il traverse rapide-
« ment? Les modifications qu'un très-jeune
« arbre éprouvera, il les aperçoit d'un coup
« d'œil, nettement, sans aucune équivoque,
« sur les pieds de la même essence arrivés
« déjà à des degrés de croissance et de déve-
« loppement plus complets. »

Ainsi, grâce aux magnifiques découvertes
d'une admirable science, nous pouvons assister à la sublime épopée de la création. La création, dont nos étroites idées avaient voulu
faire un drame d'un jour, est perpétuelle et
continue. Dans les soleils, nous pouvons assis-

ter à la décadence des mondes qui meurent.
Les mondes qui naissent, nous les trouvons
dans les évolutions des nébuleuses. La vie, la
mort, phases diverses des transformations de
l'être ! L'immobilité, la destruction absolue ne
sont nulle part !!

C'est en présence d'un pareil tableau que
l'intelligence comprend et admire ces paroles
du grand physiologiste Carus :

« La nature est ce qui croît et se développe
« perpétuellement, ce qui n'a de vie que par
« un changement continu de forme et de
« mouvement intérieur. »

Et ces paroles, non moins belles, extraites
du *Cosmos* de l'illustre Humboldt :

« De l'acte même de la création, d'une ori-
« gine des choses considérées comme la tran-
« sition du néant à l'être, ni l'expérience ni le
« raisonnement ne sauraient nous en donner
« l'idée »

QUATRIÈME CAUSERIE

———

L'aspect du ciel offre l'histoire ancienne des astres. — Vitesse de la lumière. — Idée de l'éternité du monde.

Revenons un peu sur la Terre, ami lecteur, et contemplons, si vous voulez bien, la sphère infinie où se meuvent les systèmes de soleils et de nébuleuses. Nous n'en avons exploré que les régions visibles pour nous autres habitants du système solaire. Et cependant la vue de ce grandiose spectacle, le sondage de ces abîmes célestes, ont suffi pour donner le vertige à notre imagination !....

Je veux, dans cette causerie, appeler l'attention de votre esprit sur une idée, sur une vérité, qui est la conséquence de l'immensité des dimensions de la portion visible de l'Univers. Au premier abord, on ne peut s'en rendre compte, tant il nous est naturel, là où les sensations sont assez puissantes pour absorber tout notre être, de laisser aller notre jugement à la dérive.

Embrassez d'un coup d'œil, en un instant imperceptible, la voûte du ciel. Prolongez, si vous voulez, la durée de cet instant : faites-le d'une seconde, d'une minute, d'un quart d'heure, d'une heure, il n'importe ; vous aurez ainsi subi presque simultanément l'impression d'une série de phénomènes. Votre œil aura reçu, dans ce court intervalle de temps, une multitude de rayons lumineux émanés de sources multiples. Chacune de ces impressions isolées vous aura transmis, raconté un phénomène isolé. Ici c'est l'image du disque de Jupiter et de ses quatre Satellites ; là c'est Saturne et son anneau ; ailleurs c'est la grande nébuleuse d'Herschell ; là enfin Sirius, et les étoiles doubles, triples et leurs mouvements, etc, etc..... Que vous les perceviez distinctement ou confusément, cela ne fait rien au point qui nous occupe.

Or, tous ces phénomènes, dont la vue a lieu chez vous au même instant, qui par suite vous semblent se passer à la même époque, — celle où vous les voyez, — ne sont pas réellement simultanés. Tous ou presque tous ont lieu à des époques diverses, antérieures, bien entendu, à celle de leur perception par vos organes.

Voulez-vous que je rende cette idée plus claire encore? prenons un exemple. Vous avez jeté les yeux sur une étoile de la constellation du Cygne, sur la 64me, je suppose. Au même instant, le télescope vous fait assister à l'immersion d'un des Satellites de Jupiter dans le cône d'ombre que projette dans l'espace le géant de nos globes planétaires. Vous avez été témoin, par le fait, de deux phénomènes distincts : l'un peint dans votre cerveau le commencement d'une éclipse, l'autre vous donne l'état particulier d'une étoile. Tous deux sont devenus perceptibles par l'arrivée de rayons de lumière émanés respectivement de deux sources distinctes.

Or, il y a, dis-je, entre les moments du départ des uns et des autres de ces rayons l'énorme intervalle de neuf années.

De même, l'immersion du Satellite, en apparence effectuée au moment où votre œil est appliqué à l'oculaire du télescope, l'est en réalité depuis un temps qui peut varier entre trente et cinquante minutes, à peu près, suivant la position relative de la Terre et de Jupiter dans leurs orbites.

En un mot :

Il n'est pas un phènomène céleste qui ait lieu au moment précis où l'aperçoit l'observateur.

En outre, deux phénomènes célestes quelconques, observés au même instant, ont eu lieu en réalité à des époques qui peuvent différer de quelques minutes, de plusieurs années, de plusieurs siècles !

De sorte qu'Arago a pu dire, dans son langage à la fois savant et pittoresque :

« L'aspect du ciel, à un instant donné,
« nous raconte, pour ainsi dire, l'histoire an-
« cienne des astres. »

Hypothèse et chimère! vous écriez-vous peut-être! Eh ! non, ce que je vous dis là est une chose toute simple, évidente et claire comme toutes les déductions du sens commun.

Pourquoi donc alors cet écart entre la sensation éprouvée, le jugement instinctif qui nous fait croire à la simultanéité de ces phénomènes et la thèse en apparence paradoxale énoncée plus haut ?

Pourquoi ? Parce que nous avons, d'une part, constaté avec les astronomes l'inégalité des distances des astres à la Terre, et la grandeur considérable de ces distances ;

Parce que, d'autre part, la lumière met un temps appréciable pour franchir ces intervalles, et dès lors les franchit en des temps inégaux.

Vitesse énorme, qui surpasse tout ce que l'expérience a pu nous faire saisir de mouvements rapides; vitesse 720,000 fois aussi grande que celle du boulet au sortir du canon, — supposant cette dernière de 400 mètres par seconde, — près d'un million de fois aussi grande que celle du son !

En une seconde, un rayon de lumière pourrait donc, s'il se mouvait en ligne courbe, faire huit fois environ le tour de notre globe terrestre.

Cette vitesse de la lumière établie et reconnue, un calcul très-simple prouve qu'elle met pour franchir la moyenne distance du Soleil à la Terre, 8 minutes 13 secondes, et de la 61e étoile du Cygne, plus de 600,000 fois ce temps.

Prenez la plume, ami lecteur, donnez-vous la peine de faire les calculs. Une simple multiplication vous donnera l'énorme durée de neuf années au moins.

Ainsi la lumière met neuf ans pour nous venir de la 61me étoile de la constellation du Cygne, — neuf ans, à raison de 310,000 kilomètres par seconde, — et de Jupiter à nous, de trente à cinquante minutes.

Dès lors, concluez. Il y a neuf ans que le rayon qui nous arrive de l'étoile est en route pour nous annoncer son existence et sa position à l'origine de son départ. Et pour d'autres soleils, ce n'est pas neuf ans, mais douze ans, mais un siècle, et qui sait? des milliers, des millions d'années sans doute, sans que nous ayons à sortir pour cela de la sphère de l'univers visible. Telle étoile pourrait donc disparaître, et briller encore à nos yeux pendant longtemps. Telle autre étoile, qui brille aujourd'hui du plus bel éclat, s'est peut-être éteinte il y a un siècle.

C'est donc bien positif : nous ne voyons pas le ciel comme il est, mais comme il était, non pas même comme il était à une époque donnée, mais à la fois à plusieurs époques, à une infinité d'époques données ; de sorte que chaque étoile peut être annotée d'une date particulière de l'histoire du ciel. Là, nous assistons au spectacle d'une nébuleuse contemporaine d'Homère ; là, ce soleil nous envoie des feux qui datent de Périclès ; cet autre, de notre grande épopée révolutionnaire de 92. Et ainsi à l'infini. Spectacle étrange, qui laisse la pensée s'abîmer devant la bizarrerie d'un fait confondant à la fois, sans contradiction pour la raison, les temps et les distances !

Et tout cela est basé sur les lois les plus irréfutables de la géométrie et du mouvement, comme sur les plus décisives expériences de physique astronomique.

Inscrivons ici une date mémorable, et le nom d'un savant astronome.

C'est en 1685 que Rœmer déduisit la vitesse

de la lumière d'une série d'observations faites sur les éclipses d'un satellite de Jupiter.

Cette brillante découverte exigeait, pour être faite, deux conditions indispensables. La première, la connaissance exacte, mathématique des lois du mouvement des corps célestes : Képler, Newton, s'en étaient chargés. La seconde, une grande précision dans les observations de ces mouvements : le perfectionnement des instruments d'astronomie et d'horlogerie permettait de l'obtenir.

La démonstration géométrique de la découverte de Rœmer n'est ni bien longue, ni bien difficile. Mais elle serait déplacée dans cet ouvrage. Ne pourrais-je toutefois vous en donner une idée un peu claire ?

Je vais l'essayer. Laissez-moi vous faire à cet effet une comparaison.

Placez en ligne droite dix personnes, à intervalles égaux de 340 mètres. Munissez chacune d'elles d'une bonne montre à secondes, préalablement réglée sur une horloge unique ; et, en ligne droite aussi avec vos dix personnes, établissez une pièce d'artillerie, éloignée de la première personne de 340 mètres, assez élevée seulement pour être visible à tous.

A midi précis, le feu est mis à la lumière, la détonation résonne.... Vous avez, j'imagine, recommandé à chacun de vos observateurs de noter l'heure précise à laquelle la lumière frappe sa vue, l'heure exacte aussi où la vibration sonore commence à ébranler son oreille.

Quelles seront leurs réponses?

Vous les devinerez, si vous vous rappelez ce fait, — bien connu en physique élémentaire, — que l'onde sonore met une seconde à transmettre son mouvement vibratoire à la distance de 340 mètres, ou si vous aimez mieux, que le son parcourt cette distance en une seconde, la vitesse de la lumière étant d'ailleurs comme infinie pour de si faibles intervalles.

Ces réponses, les voici :

Tous ensemble auront vu l'étincelle à midi précis. Quant au bruit de la détonation, le premier l'aura entendu à midi et une seconde, le deuxième, à midi et deux secondes... le dixième enfin, à midi et dix secondes.

Or, où est la raison de cette différence? Evidemment, — n'est ce pas? dans cette circonstance, — que le son ne parcourt point les mê-

mes espaces pour arriver à chacun des dix observateurs ; qu'ayant, à partir du premier, à
franchir une fois, deux fois.... dix fois 340 mètres, il lui faudra une, deux.... dix secondes
pour arriver à l'oreille de chacun d'eux.

Il ne peut y avoir ici l'ombre d'un doute.

Renversez maintenant l'expérience. N'ayez
plus qu'un observateur s'éloignant du canon
à des distances doubles, triples, etc. Pour plus
de vraisemblance, faites tirer de dix minutes
en dix minutes, et vous arriverez à ce résultat :

Tandis que les coups de canon se succèdent
à intervalles rigoureusement égaux, les déto-
nations, pour l'observateur qui s'éloigne, paraîtront séparées par des intervalles de plus en
plus grands : de dix minutes d'abord, de dix
minutes et une seconde, de dix minutes et deux
secondes, et ainsi de suite.

Maintenant, si votre patience n'est point à
bout, conservons le même raisonnement, et,
au lieu de l'appliquer au son, appliquons-le à
la lumière.

D'abord, l'expérience a prouvé qu'à la surface
de la Terre il n'est possible de rien constater

directement (1). La lumière, n'ayant à parcourir que des distances relativement très-petites, s'y meut pour ainsi dire instantanément.

Tournant cette difficulté, Rœmer est allé prendre sa base dans les phénomènes célestes. Pour lui, l'observateur qui s'éloigne, c'est la Terre qui se meut le long de son orbite de 38 millions de lieues de diamètre. Les phénomènes qui ont lieu à intervalles fixes et rigoureusement déterminés par le calcul, ce sont les éclipses successives d'un des satellites de Jupiter, l'instant, par exemple, de l'immersion de ce satellite dans le cône d'ombre de la planète.

La connaissance précise du mouvement de ces corps permet de calculer d'avance, à une seconde près, l'instant précis de ces immersions successives.

---

(1) Dans ces dernières années, sur les indications de M. Arago, un habile physicien, M. Fizeau, est parvenu à mesurer directement la vitesse de la lumière. Il a de la sorte confirmé les résultats des travaux de Rœmer. D'autres expériences sur la vitesse comparative de la lumière dans l'air et dans l'eau ont enfin tranché la question de la nature de la lumière en faveur de l'hypothèse des ondulations, dont Descartes eut le premier l'idée. L'ensemble des travaux de M. Fizeau a valu à leur auteur le grand prix de 30,000 fr. décerné par les cinq classes de l'Institut.

Cela posé, suivez bien ce raisonnement : Si la lumière se meut instantanément, ou, comme on dit, avec une vitesse infinie, il n'y aura aucune différence entre les instants de l'éclipse déterminés par le calcul et les mêmes instants obtenus par l'observation, et cela, quelle que soit la distance séparant Jupiter de la Terre.

Mais si la lumière se transmet dans l'espace avec une vitesse appréciable, il en sera des éclipses successives du satellite, pour la terre qui s'éloigne, comme des coups de canon pour l'oreille de l'observateur ; elles seront d'autant plus en retard que la terre se sera éloignée davantage.

Or, c'est ce qui arrive. Rœmer a pu ainsi constater un retard de 16 minutes 26 secondes dans l'observation de l'éclipse d'un des satellites, pour deux positions de notre planète, distantes entre elles de tout le diamètre de son orbite annuelle.

La lumière, — en a-t-il conclu avec justesse, — met donc tout ce temps à franchir ce diamètre, ou environ 38 millions de lieues. C'est 8 minutes 13 secondes pour moitié de cette distance, c'est-à-dire pour venir du Soleil à nous ;

Ou, par un calcul des plus simples, environ 77 mille lieues de 4 kilomètres en une seconde. Résultat conforme aux nombres que j'ai cités.

Vous pouvez voir, cher lecteur, par ce qui précède, que nous mettons à profit les haltes du voyage. Un peu de raisonnement ne messied point à l'occasion, ne fût-ce que pour prouver une fois de plus la merveilleuse puissance de cet instrument si simple pourtant, quand il prend soin de ne pas s'écarter de la méthode.

Les mathématiciens, il est vrai, souriront de notre marche embarrassée, eux qui se seraient contentés de dix lignes et de quelques signes symboliques pour la démonstration que nous avons tenté d'établir.

Mais à chaque chose sa place et son temps.

Je reviens maintenant à notre première idée, à celle que nous avons formulée au début de cette causerie, et qu'au premier énoncé tout le monde trouve si étrange, si paradoxale :

« Nous ne voyons pas le ciel **tel qu'il est**. Nous le voyons **tel qu'il a été**, et non pas à une même époque, mais à une multitude d'époques différentes ! »

Pour bien comprendre la portée philosophique d'un tel résultat, ajoutons que l'état du
ciel, au moins dans sa généralité, n'a pas
changé sensiblement depuis les premières observations astronomiques. Hipparque, qui vi-
vait il y a environ deux mille ans, et dont nous
possédons les ouvrages, nous en donne le témoignage positif.

D'après Herschell, nous voyons dans les profondeurs des espaces célestes des nébuleuses si
éloignées de notre nébuleuse lactée, et à plus
forte raison de la Terre, que leur lumière a dû
mettre pour arriver jusqu'à nous des millions
d'années.

D'où résulte de toute évidence que ces gigantesques agglomérations de mondes existent
depuis des millions d'années. « La lumière
« qu'ils ont émise et qui nous parvient aujour-
« d'hui est, en vertu des lois de sa propaga-
« tion, le témoignage le plus ancien de l'exis-
« tence de la matière. » (1)

Que deviennent, en présence de cette antiquité dont la science démontre aujourd'hui la

_____

(1) Humboldt, *Cosmos.*

réalité authentique, et les six mille ans de la Genèse, et les cosmogonies hindoue, persane, hébraïque, égyptienne ? Les assertions des livres sacrés ne sont plus que les grossiers rudiments des connaissances ou plutôt des croyances hypothétiques des auteurs auxquels la rédaction en est attribuée.

Les idées de création de *nihilo,* d'un commencement du monde à une époque déterminée, semblent alors faites à la taille de notre monde. Et, de même que le globe terrestre ne nous paraît plus qu'un point perdu dans l'immensité de l'étendue, les cinq ou six mille ans dont l'histoire de l'homme a confusément gardé le souvenir, s'évanouissent pour ainsi dire comme une minute dans l'infinité de la durée !

CINQUIÈME CAUSERIE

——

Combien, dans cette rapide esquisse du Monde, de questions curieuses, de phénomènes intéressants ne suis-je pas forcé de passer sous silence !

Les étoiles de grandeur variable, dont le champ du ciel est parsemé en dehors de la Voie Lactée, appartiennent-elles, ou non, à cette grande couronne dont notre monde solaire est une des molécules constituantes? Il est probable que nos rayons visuels, partant du centre de l'anneau pour en raser les bords, doivent parcourir des espaces de moins en moins fournis d'étoiles, qu'ainsi bon nombre de ces dernières, quoique situées en apparence en dehors de la nébuleuse, en font toutefois partie.

On a remarqué que les espaces du ciel les moins riches en étoiles sont par compensation garnis des plus remarquables nébuleuses.

Serait-ce, comme Herschell l'admet et Arago après lui, que ces nébuleuses voisines de ces sortes de trous du ciel, ont peu à peu attiré et absorbé les étoiles qui s'y trouvaient primitivement dispersées?

Parmi les étoiles semées dans le firmament, qui forment les configurations variées nommées *Constellations*, y en a-t-il qui soient liées entre elles par des relations spéciales de mouvement? En un mot, forment-elles des groupes naturels, ou bien, ne devons-nous voir dans leur réunion que des coïncidences fortuites, résultat de la simple perspective? Le groupe des Pléïades, si fameux dans l'histoire maritime de l'antiquité, celui du Cancer, le groupe des Hyades dans la constellation du Taureau paraissent devoir être rangés au nombre des agglomérations dont les éléments sont reliés par de véritables lois (1).

Ce ne sont pas les seuls, sans doute.

(1) Arago, dans le 1er volume de son *Astronomie populaire*, sans s'expliquer catégoriquement sur la nature particulière des groupes que nous venons de citer, semble toutefois les ranger au nombre des nébuleuses résolubles. Seulement, se trouvant beaucoup plus rapprochées de nous que les autres, elles sont beaucoup moins confuses, et les bonnes vues distinguent leurs principales étoiles. Avec la moindre lunette, et même de simples bésicles, la vision devient distincte et les étoiles des deux premiers groupes se détachent les unes des autres.

Alcione, la plus belle des Pléiades, est une étoile de troisième grandeur ; cinq ou six des plus brillantes appartiennent aux quatrième, cinquième et sixième grandeurs ; toutes les autres sont invisibles à l'œil nu.

Les étoiles du groupe des Hyades sont rendues invisibles par le voisinage d'Aldébaran, la plus brillante étoile de la Constellation du Taureau.

Enfin le groupe du Cancer, qui a reçu le nom de Prœscpe ou la Crèche, offre une lumière si diffuse que les lunettes sont indispensables à la séparation de ses étoiles composantes. Le grossissement, il est vrai, n'a pas besoin d'être très-fort.

Profitons de cette note pour dire quelques mots du nombre d'étoiles visibles à l'œil nu. On s'exagère généralement ce nombre, que plusieurs astronomes ont pris la peine de recueillir approximativement. Aussi sera-t-on peut-être étonné de savoir que, suivant les vues, il varie entre 4000 et 6000 seulement, et cela pour les deux hémisphères. Mais dès qu'on augmente la puissance visuelle par le secours des lunettes et télescopes, le nombre des étoiles visibles s'accroît d'une façon prodigieuse. Les plus forts télescopes per-

Enfin si je pouvais prendre un à un la multitude des faits curieux isolés dont l'Astronomie
stellaire a été de nos jours enrichie par l'observation, vous seriez émerveillé de l'infinie variété des phénomènes célestes.

Mais le temps et l'espace me manquent pour
tant de développements.

D'ailleurs mon but, dans cette causerie, est
tout autre. Je voudrais terminer notre exploration du monde des nébuleuses par une vue
d'ensemble de l'Univers visible.

Lorsque, dans un pays de montagnes, entre-
coupé de gorges et de vallées et couvert de fo-

mettraient d'apercevoir le nombre énorme d'environ
45,000,000 d'étoiles.

On les a rangées, suivant leur éclat, en divers or-
dres de grandeur. Le nombre des étoiles de la première, qu'on porte à 20 environ pour les deux hémisphères, est très-restreint comme on voit. Sirius, la
plus brillante de tout le ciel, Wéga de la Lyre, Ataïr
de l'Aigle, Antarès du Scorpion, Aldébaran sont parmi les plus remarquables.

On a formé, pour aider la mémoire, des groupes ou
Constellations, dont plusieurs ont reçu leurs noms des
Anciens. Mais qu'on n'aille pas voir dans ces groupes
des familles naturelles, liées autrement que par le
hasard des perspectives. C'est pour cette raison que,
voulant donner une idée réelle de l'univers qui nous
entoure, j'ai omis à dessein de parler de ces di-
visions arbitraires.

rêts, un touriste désire avoir de la configuration de la contrée une idée un peu générale, quels moyens s'offrent à lui? Une bonne carte topographique pourra lui fournir les notions les plus exactes, lui donner au besoin la forme, les dimensions en hauteur et en superficie de tous les accidents du terrain. Mais quelle sécheresse, quelle absence de poésie, de pittoresque, de vie enfin sur ce papier d'ailleurs si utile! Aussi préférera-t-il sans doute gravir le pic le plus élevé et jouir du panorama étendu, enchanteur, qu'on peut découvrir de son sommet, au risque d'être encore trompé par la perspective géométrique et aérienne.

Enfin un troisième moyen, préférable aux deux précédents, mais qui n'est point à la disposition de tout le monde, c'est une excursion aérienne, une course en ballon au-dessus des points les plus élevés du pays. Du haut de sa nacelle, le voyageur saisira sans erreur et sans fatigue les détails et l'ensemble, sans que le coup d'œil ait rien à perdre de son charme.

Des procédés analogues sont-ils à notre disposition pour nous fournir le panorama du

6

Monde? Oui, mais combien insuffisants! Vous allez en juger.

D'abord les cartes célestes, les mappemondes, les globes sont choses excellentes pour qui veut connaître la position précise d'une étoile, rendre sa mémoire familière avec les groupes artificiels, avec leurs dénominations, avec leurs figures. Mais de la disposition réelle des mondes, de leurs mouvements, il est impossible d'en déduire rien. Se formera-t-on ainsi une idée, une image concrète, vivante, pour ainsi dire, du grand Tout? Non.

La Terre elle-même, cet observatoire immense, si bien disposée par sa forme pour l'exploration du ciel dans toutes ses parties, suffira-t-elle à notre but? Pas davantage. Dussions-nous la parcourir d'un hémisphère à l'autre, passer les nuits à voir défiler devant nous les brillantes constellations boréales et australes, depuis la grande Ourse et la magnifique Orion, jusqu'à la Croix du Sud et aux Nuées de Magellan, la Terre, dis-je, ne saurait satisfaire à notre curiosité.

Mais puisque cet observatoire mobile décrit

chaque année autour de son étoile centrale une orbite de 240 millions de lieues, n'est-ce pas comme si nous avions à notre service, sans frais et sans péril, le plus gigantesque des aérostats? Et ne pouvons-nous pas nous contenter de la vitesse raisonnable de 25 mille lieues environ par heure? Hélas! qu'est-ce que cela en comparaison des dimensions du ciel? Imaginez, je vous prie, dans un horizon de 200 kilomètres de diamètre, un ciron décrivant un cercle d'un mètre au maximum, et prétendant que ce beau voyage lui suffit pour explorer et connaître la plaine qui l'entoure! Telle est notre Terre accomplissant sa période annuelle; tels nous sommes, voguant avec elle autour du Soleil, sans nous rapprocher de tout le reste de l'Univers d'une manière sensible.

Laissez-moi donc alors vous transporter par la pensée par-delà les limites de notre monde solaire. La pensée seule nous peut permettre ce voyage gigantesque, ce véritable tour du monde. La vitesse même de la lumière, cette vitesse foudroyante dont l'imagination embrasse à peine la grandeur, ne nous suffirait pas, dans notre vie si courte, à parcourir la partie visible de l'Univers, et, chargés d'années, nous resterions en route, sans terminer notre pèlerinage.

A mesure que nous nous enfonçons dans ces profondeurs, notre globe si vaste pour nous, dont le mouvement au moment où nous venions de le quitter nous paraissait si grandiose, notre globe, dis-je, s'immobilise de plus en plus, diminue, diminue, et disparaît. Le soleil lui-même, passant successivement par tous les degrés de décroissance lumineuse, arrive à n'être plus qu'une étoile de première, de seconde... de dixième grandeur, puis à disparaître dans la poussière blanchâtre de la Voie Lactée.

Mais avant d'arriver à ce point de notre route, nous avons rencontré nombre de soleils et de groupes de soleils. Nous les avons vus tournoyer sur eux-mêmes, tout frémissants de lumière et de chaleur émanées de leurs enveloppes gazeuses, puis entraîner avec eux leurs cortéges de planètes.

Enfin nous parvenons à de telles distances que l'espace n'est plus parsemé çà et là que de taches blanchâtres aux formes les plus diverses : ici sphériques, là annulaires, ailleurs en forme de spirales. Autant de systèmes animés de mouvements généraux et sans doute gravitant les uns vers les autres, comme leurs éléments le font eux-mêmes. En peut-il être autrement? Les masses, les forces individuelles, les mouvements particuliers, peuvent-ils ne pas fournir, suivant les invincibles lois de la mécanique générale, leurs forces, leurs mouvements résultants. C'est par de pareilles déductions que, l'observation faisant défaut, l'esprit est légitimement autorisé à généraliser les lois éternelles de la matière dont il étudie en petit les diverses évolutions.

Ainsi, en récapitulant, nous voyons l'Univers formé d'une magnifique série d'êtres toujours mouvants, harmonieusement groupés, exécutant en cadence leur musique éternelle. Depuis le simple satellite tournant autour de sa planète, jusqu'à la nébuleuse étincelante, et — qui sait? — jusqu'aux groupes même de nébuleuses.

Et partout, partout la vie. La vie à tous les degrés. Variée sans doute à l'infini dans ses manifestations finies, vie végétale, vie animale, vie humaine, intelligente et sentimentale...

Maintenant une dernière question avant

de terminer cette causerie. Les espaces célestes où circulent perpétuellement toutes ces sphères, sont-ils vides ou pleins de matière ?

C'est là un problème qu'ont soulevé dans tous les temps les philosophes et les astronomes, et dont la solution rationnelle est aujourd'hui possible. Les hypothèses les plus contradictoires n'ont pas manqué, vous le pensez bien. Tandis que les uns soutenaient le vide absolu, comme nécessaire à la conservation des mouvements et au passage si rapide de la lumière, les autres, et Descartes était du nombre, croyaient qu'aucune portion de l'espace infini n'était dépourvue de matière.

Vide absolu, plein absolu, notions abstraites dont nous laisserons l'étude à la métaphysique. Nous rendons-nous seulement un compte bien exact de ce qu'est la matière, que nous connaissons comme nous connaissons toutes choses, par ses manifestations phénoménales ?

Heureusement le problème peut être abordé d'une autre façon. La lumière, vous disais-je dans une de nos précédentes causeries, n'est point une substance matérielle, comme l'a sup-

posé Newton, mais bien un système de vibrations qui se propagent avec la vitesse que vous
savez. Le corps lumineux est le corps vibrant
par lui-même, comme la cloche ébranlée est le
corps sonore. Les vibrations se communiquent
autour de lui et rayonnnent à l'infini dans l'espace. Arrivant à notre œil, elles ébranlent notre rétine, et produisent ainsi la sensation de
la lumière. La lumière est donc un mouvement
comme le son, bien que les véhicules de ces
mouvements ne soient pas les mêmes. C'est
l'air, pour le son. Pour la lumière, quel est-il ?
On ne sait ; c'est-à-dire on ne l'a point palpé,
senti, analysé. Mais il existe de toute nécessité.
Il remplit les espaces planétaires, stellaires,
dans toutes leurs parties. Sait-on quelle est sa
densité ? Non, mais elle est extrêmement faible,
sans nul doute (1).

---

(1) « Cherchons quelle devrait être la densité de ce
« gaz (l'éther) pour que deux rayons, l'un rouge et
« l'autre bleu, partis en même temps d'une étoile
« changeante arrivassent à la Terre *à peu près* simul-
« tanément, malgré la prodigieuse épaisseur de la
« matière traversée, malgré la durée du trajet, qui
« ne saurait être au-dessous de trois ans ; la solution
« de ce simple problème de physique étonnera l'i-
« magination par sa petitesse. »

(Arago, *Astronomie populaire*, I.)

Les astronomes le nomment éther.

Arrivera-t-on à en connaître les propriétés ? Celle de propager la lumière est déjà bien connue ; en trouvera-t-on d'autres ? Répondre à ces questions serait anticiper par trop sur la science ; faire des hypothèses qu'aucun phénomène n'appelle encore, ce serait raisonner dans le vide.

Ce qu'on peut dire, sur la foi des observations les plus rigoureuses et des calculs les plus irréfutables, c'est que l'éther ne gêne point sensiblement dans leur marche les mondes de notre système. Nous avons donc devant nous des millions d'années d'existence, à moins de catastrophes qu'on ne saurait prévoir.

Mais, d'ailleurs, qu'importe ! Naître, vivre et mourir sont les termes inéluctables de l'existence de tout être, et le tombeau d'un monde n'est que le berceau d'un autre.

SIXIÈME CAUSERIE

———

Soleils. — Planètes et Satellites. — Comètes.

Plus d'un lecteur trouvera peut-être que nos pérégrinations un peu vagabondes dans les lointaines régions du ciel sont suffisantes désormais. L'esprit finit par se perdre et l'imagination par s'égarer à planer ainsi dans les profondeurs éthérées. La contemplation prolongée de l'infini donne peu à peu le vertige ; et le sentiment de la vie extérieure, de la durée de notre propre personnalité s'abîme à la fin dans ces extases.

Ce n'est pas là que tendait ma pensée lorsque

je proposais ce voyage à travers les espaces.
J'ai voulu, dès le début de nos causeries, faire
saisir à mes lecteurs la valeur des rapports qui
unissent notre monde à tous les autres.

Ai-je réussi à donner de la constitution de
l'Univers une idée d'ensemble? Tel était, du
moins, mon but dans les précédentes causeries.
Il fallait pour cela éviter les détails un peu trop
précis, les contours trop accusés : il s'agissait
d'une ébauche.

Mais des notions aussi vagues suffisent-elles
à donner de l'Astronomie, de l'exactitude de ses
ses lois l'idée qu'en en doit avoir? Non, sans
doute. Les résultats grandioses, merveilleux, il
est vrai, de notre exploration céleste sont trop
étrangers à notre vie, à nous-mêmes, et ne
nous intéresseraient que d'une façon trop dé-
tournée, si nous n'étudiions plus intimement
l'un de ces mondes innombrables dont la voûte
du ciel resplendit.

Oui, l'Univers est une agglomération infinie
de nébuleuses, ici formées de milliers de soleils, là composées d'une matière gazéiforme
parsemée de soleils en voie de formation. Oui
encore, le mouvement est la loi générale de

ces masses effrayantes, non-seulement dans leurs éléments constitutifs, mais dans leur ensemble, qui subit à la longue des dislocations, des déchirements (1).

Mais que sont ces soleils? Quelle est leur constitution intime? Quelles lois régissent leurs mouvements? D'autres corps ne les accompagnent-ils pas? Autant de problèmes dont notre ardente curiosité appelle la solution. L'humanité les agite depuis des siècles; si elle ne les a point entièrement résolus, elle est parvenue du moins à rassembler assez de vérités pour apaiser cette soif de connaître qui nous tour-

(1) La force attractive dont les lois régissent toutes les parties de la matière, produit des effets de concentration remarquables dans les agglomérations d'étoiles et dans les nébuleuses. Cette distribution, ces groupements des molécules célestes, équivalent évidemment à des déchirements, à des dislocations. L'astronome Herschell a étudié avec grand soin ces mouvements. Dans un point de la Voie Lactée, jaugé d'après sa méthode et contenant 551,000 étoiles sur une largeur de 5°, on a pu remarquer que cet immense groupe offre déjà des signes de division. La moitié de ces 551,000 étoiles marche d'un côté; l'autre moitié marche en sens contraire. « Ainsi, dit Arago dans son *Astronomie populaire* d'où nous tirons ces curieux détails, dans la suite des siècles, le pouvoir de concentration amènera inévitablement le fractionnement, la rupture, la dislocation de la Voie Lactée. »

mente tous, sinon pour la rassasier complète-
ment.

Je constate d'abord que l'observation directe
serait loin de nous satisfaire. Quelle que soit la
puissance des instruments, ils ne nous permettent de distinguer aucun détail. Les plus forts
télescopes nous font voir chacun des corps lumineux qui peuplent le ciel, comme un point
mathématique, sans dimensions appréciables,
et que l'épaisseur d'un fil d'araignée suffit à
éclipser. On sait donc peu de chose de la constitution de ces soleils. Les lois de propagation
de la lumière nous ont appris qu'ils brillent de
leur propre éclat; ajoutez à cela ce que nous
avons dit de leur variabilité, de leur couleur,
de la distance de quelques-uns d'entre eux,
de leurs mouvements de révolution, et c'est
tout.

Heureusement, nous savons d'une manière
positive que notre monde, notre petit monde
solaire est un des éléments du monde stellaire, que notre Soleil est une Etoile.

Etudions-le donc dans tous ses détails, re-
cueillons-en toutes les lois. Et cette étude achevée, laissons-nous guider par l'analogie, elle

nous apprendra tout ce que nous désirons connaître des mondes similaires.

Nous voilà donc enfin, cher lecteur, rentrés chez nous. Si nous avons encore besoin de voyager, c'est dans notre domaine, et nous le ferons tout à notre aise, sans crainte de nous égarer. Suivez-moi donc encore.

Je veux, procédant toujours de la même façon, vous faire connaître d'abord notre système dans son ensemble. J'aurais grand besoin peut-être pour cela de l'emploi des termes techniques, mathématiques, géométriques, astronomiques. Mais j'ai fait vœu, en prenant la plume, de me servir de la langue de tout le monde. Et je tiens à accomplir mon vœu, autant que possible.

Voyons d'abord de quels éléments se compose le système que nous appelons *solaire*.

En premier lieu, l'Etoile centrale, le foyer de chaleur et de lumière, le pivot de tous les mouvements, le **Soleil**;

Puis les terres ou **Planètes**, semblables à notre globe terrestre, non lumineuses par elles-mêmes, nous renvoyant, — tout le monde le sait, — la lumière réfléchie du Soleil. Tous ces corps se meuvent autour du Soleil, en décrivant des courbes particulières, inégales en grandeur, en des temps inégaux. Tels sont Vénus, la Terre, Jupiter, etc. ;

En troisième lieu les lunes ou **Satellites**, corps secondaires, également éclairés du Soleil, et qui se meuvent autour des planètes, comme celles-ci autour du Soleil. Telle est notre Lune ;

Enfin des corps nébuleux d'une apparence caractéristique, se mouvant aussi autour du Soleil, mais dans des courbes très-allongées; et dont la substance paraît avoir avec la matière cosmique une très-grande analogie. Ce sont les **Comètes.**

Ainsi, Soleil, Planètes, Satellites et Comètes, telles sont les quatre espèces de corps qui composent notre système. Une étude plus approfondie permettra mieux encore d'en reconnaître soit les ressemblances, soit les différences essentielles.

Mais, pour cette fois, je laisserai de côté les Comètes, me proposant de leur consacrer une causerie spéciale.

Avant tout, quel est le nombre des corps au-

jourd'hui connus qui composent le système solaire?

Les anciens en connaissaient sept, nombre
consacré d'ailleurs et doué des vertus de l'ordre
le plus élevé! Il est vrai que, dans ce nombre,
la Terre ne comptait pas, et que la Lune et le
Soleil, en raison de leur importance, étaient
considérés à part par les savants. Plus tard, au
moyen-âge, quand l'astrologie eut envahi toutes
les cervelles, on vous eût démontré sans répli-
que la raison de ce nombre sept, symbole des
vérités les plus profondes : sept corps célestes,
sept chandeliers, sept sages de la Grèce, sept
merveilles du monde, etc., etc......! Impossible
de ne pas se rendre à une pareille évidence !

Nos astronomes modernes, impies s'il en fut,
dépassèrent ce nombre, et bientôt arrivèrent à
vingt-huit ou vingt-neuf planètes, nombre impossible, et sans aucune relation avec toute vérité magique, cabalistique, métaphysique. Aussi Fourier, ce génie bizarre, mélange singulier
d'extravagance et de profondeur, annonça-t-il
au monde savant qu'on atteindrait le nombre
32. N'avons-nous pas trente-deux dents? Hélas !
les grandes lois analogiques de la théorie sé-

rielle n'ont pas été respectées par l'astronomie; et voilà le nombre des corps du système solaire dépassant déjà quatre-vingts !

Et chaque jour le nombre s'en accroît. Le zèle des observateurs aidant, — et il en surgit de partout, — on atteindra bientôt la centaine.

Comment tous ces corps se distribuent-ils dans l'espace ? Y a-t-il entre eux des lois de subordination, des rapports particuliers de distance ? C'est à quoi je vais répondre maintenant.

Parmi tous ces astres, il en est un, vous le savez comme moi, qui prime tous les autres. Par son volume, par sa masse, par ses propriétés physiques de chaleur et de lumière, de magnétisme sans doute et d'électricité, par sa position centrale, enfin, au milieu du système, le Soleil l'emporte sur tous, se distingue de tous. Il est le pivot de tous leurs mouvements, la source de toute organisation et de toute vie.

Autour de lui, à des distances très-inégales, se range le cortége des planètes et de leurs satellites.

Pour mesurer les distances des planètes à notre étoile centrale, je me servirai d'un mètre

dont la longueur soit proportionnée à ces distances. Je prendrai pour unité, comme font les
astronomes, la distance moyenne de la Terre
au Soleil.

Elle est de 142,000,000 de kilomètres environ. Voulez-vous une idée plus nette de cette
distance ?

Rappelez-vous que, si nous voulions nous
transporter au Soleil, en prenant pour véhicule
le train express le plus rapide, franchissant
soixante kilomètres à l'heure, nous parvien-
drions au terme de notre vie avant d'avoir parcouru le quart de notre route. Il nous faudrait,
pour le terminer ainsi, 270 années.

Telle est la distance qui me servira de terme
de comparaison, d'unité.

Si maintenant je range dans l'ordre de leurs
distances croissantes au Soleil tous les astres
errants qu'il maîtrise par la puissance de son
attraction, je trouve ce tableau :

Mercure, Vénus, la Terre, Mars, les planètes
télescopiques, Jupiter, Saturne, Uranus et Neptune.

J'omets à dessein la planète découverte cette
année entre Mercure et le Soleil, parce que ses

éléments n'ont pu être calculés encore avec exactitude.

Qu'on veuille bien me permettre maintenant un peu d'arithmétique : je promets de n'en point abuser.

Une loi empirique, que d'abord on crut logique, lie entre elles toutes ces distances d'une manière assez simple. La voici :

Partez de 0, ajoutez 3, puis doublez successivement chaque nombre, vous formerez cette série :

0   3   6   12   24   48   96   192   384

Augmentez de 4 chacun de ces nombres, vous aurez cette autre série :

4   7   10   16   28   52   100   196   388,

dont les termes, placés au-dessous des planètes nommées plus haut, marquent leurs distances respectives à l'astre central, du moins sans erreurs notables (1). C'est un moyen mnémonique

(1) La loi empirique que nous venons de rapporter est due à Titius. On la connaît également sous le nom de Loi de Bode. Ce qui la fit surtout considérer comme une loi réelle, c'est cette circonstance curieuse, qu'une lacune existant entre Mars et Jupiter et le nombre 28 n'ayant point de planète correspondante, cette lacune vint tout à coup à être comblée par la découverte des planètes Cérès, Pallas, Junon et Vesta, dont les dis-

assez commode et qu'il est bon de retenir pour les cas assez fréquents où l'on manque d'ouvrages d'astronomie.

Tandis que Mercure n'est qu'au tiers de la distance de la Terre au Soleil, à partir de ce dernier corps, Neptune est à plus de 30 fois cette distance. Est-ce là que nous devons voir les bornes de notre système solaire? Rien ne le prouve ; non-seulement les comètes dépassent cette distance, énorme déjà, mais il est très-possible que d'autres planètes encore inconnues existent au delà de Neptune, invisibles pour nos moyens actuels de télescopie, ou inobservées.

Mais en triplant cette dimension, en admettant pour le rayon de la sphère réelle de l'attraction solaire 100 fois l'unité convenue, en supposant par conséquent que le dernier astre entraîné dans le mouvement de circulation autour de notre étoile existe à cette distance, il n'en faudrait pas moins reconnaître que 2,000

tances, à fort peu près égales, satisfont à la loi de Titius.

Mais la distance de Neptune diffère sensiblement du nombre 388 fourni par la règle donnée plus haut : elle serait marquée par le nombre 300.

fois cet intervalle nous séparent des autres systèmes stellaires, j'entends des plus voisins.

Je reviens souvent sur ces comparaisons parce
qu'il faut se familiariser avec elles, si l'on veut
avoir une idée tant soit peu juste des véritables
dimensions, soit de l'univers visible, soit de
notre monde planétaire.

J'arrive maintenant à un autre ordre d'idées,
à la question de forme et de grosseur.

Tous les corps du système affectent la forme
sphérique : la Lune, le Soleil, la Terre, toutes
les planètes, tous leurs satellites (1). Cela est
hors de doute pour le Soleil, la Lune, Vénus et
Mercure, Mars et Jupiter, Saturne, Uranus et
Neptune, et même pour quelques-uns de leurs
satellites. Soit à l'œil nu, soit à l'aide des lunettes, la forme circulaire du disque est trop
évidente pour laisser à cet égard aucun doute.

L'analogie permet, sans crainte de trop de
hardiesse, de supposer qu'il en est de même
pour les autres, et quant à la rondeur de la

(1) La planète Saturne a pour satellites deux corps
annulaires relativement très-minces. C'est le seul
exemple connu de corps célestes n'ayant pas la forme
sphéroïdale. En étudiant Saturne, nous aurons l'occasion de revenir sur ses anneaux.

Terre, nous en donnerons plus loin les preuves.

La forme sphérique n'est point parfaite toutefois. Pour la plupart des corps planétaires,
elle est légèrement aplatie, phénomène qui a
permis de déterminer avec certitude leur constitution primitive.

Les volumes ne suivent aucune loi apparente
régulière, soit avec la distance, soit avec les
mouvements. Voici, dans l'ordre des grosseurs,
les principaux corps du système :

Le Soleil, Jupiter, Saturne, Uranus, Neptune,
la Terre, Vénus, Mars, Mercure, la Lune.

Mars et Mercure sont de dimensions inférieures à celle de la Terre ; le volume de Mars est
un septième, celui de Mercure un seizième de
celui de la Terre ; mais celui de Vénus en approche beaucoup. Jupiter est 1414 fois aussi
gros, Saturne 734 fois, Uranus 82 fois, Neptune
110 fois ; la Lune n'en est guère que la cinquantième partie.

Enfin le Soleil est d'un volume environ un
million quatre cent mille fois aussi gros que celui de la Terre, c'est-à-dire qu'il vaut à lui seul

plus de cinq cents fois tous les corps planétai-
taires réunis, eux et leurs satellites.

En décrivant plus en détail toutes ces sphères, tous ces gros et petits mondes, je reviendrai plus exactement sur leurs grosseurs respectives et sur leurs formes. J'ai voulu cette
fois en donner un premier aperçu.

Pour résumer ce qui précède en une image
sensible, je terminerai par l'hypothèse suivante :

Prenez un globe de onze centimètres de diamètre environ, et imaginez que c'est là le Soleil. La Terre sera représentée, dans ce cas,
par un grain de plomb d'un millimètre de diamètre. Portez ce grain à une distance du globe
solaire égale à douze mètres, et vous aurez une
idée de la position relative de la Terre et du Soleil dans l'espace.

Dans cette hypothèse, Jupiter aura un peu
plus d'un centimètre de diamètre : ce sera une
balle de plomb d'un petit calibre. Saturne aura
l'apparence d'une chevrotine, Uranus d'un gros
grain de plomb, et Neptune, sous la forme d'un
grain tant soit peu plus gros, sera perdu dans
l'espace à une distance de plus de 360 mètres

du globe central. Les autres planètes et les satellites exigeraient, pour être vus, le secours
du microscope.

Nous verrons bientôt cependant que tous ces
corps si chétifs en apparence, et comme perdus
dans l'immensité, exécutent avec la précision la
plus merveilleuse une série de mouvements
soumis aux mêmes lois : mouvement de rotation sur eux-mêmes, mouvement de révolution
autour du soleil, mouvement oscillatoire ou
de balancements périodiques.

Et tout ce système est si bien pondéré, si
bien équilibré, qu'il offre les garanties de stabilité les plus merveilleuses ; de telle sorte que
ce qu'on nomme les perturbations du système
est au contraire la preuve la plus convaincante de la précision de ses lois, une conséquence infaillible de ces lois mêmes.

SEPTIÈME CAUSERIE

———

Système solaire. — Mouvements de translation ou de révolution. — Les lois de Képler.

Avant de commencer cette causerie, faut-il laisser connaître au lecteur toute ma pensée ? J'ai peur qu'à la lecture seule du titre, on ne soit tenté de laisser là et le livre et l'auteur. Lois, mouvements, systèmes sont des mots qu'en Astronomie on est habitué à voir accompagnés soit de figures géométriques plus ou moins embrouillées, soit de formules mathématiques, plus grimaçantes encore et plus obscures.

Eh bien, rassurez-vous. Le but que je me propose n'exige rien de pareil.

S'il me fallait exposer dans leur ordre chronologique les différents systèmes imaginés pour l'explication des mouvements apparents des astres, ou bien si je voulais, par une démonstration rigoureusement mathématique, déduire de ces mouvements la théorie de leurs mouvements réels, je vous préviendrais à l'instant, et je ferais, sans miséricorde, appel à la géométrie, à la trigonométrie, à l'algèbre, voire même au calcul infinitésimal.

Il n'en est rien, heureusement.

Nous avons passé en revue, énuméré les différents corps qui composent le monde solaire ; nous les avons rangés dans l'ordre de leurs distances à l'étoile centrale, comme aussi dans l'ordre de leurs grosseurs.

Je veux maintenant que vous ayez une idée juste, claire, de leurs véritables mouvements. On s'étonne toujours, quand on n'a point médité sur les phénomènes de la pesanteur générale, et sur les lois de l'équilibre et du mouvement, de voir se balancer dans le vide ces corps gigantesques. On se demande quelle force sus-

pend ainsi dans le ciel le globe enflammé du
Soleil, et la masse lunaire et celle de ces astres
innombrables qui étincellent au firmament. Et,
si la science n'était là, on finirait par revenir
aux commodes et naïves croyances qui voient
dans les étoiles des flambeaux allumés la nuit,
éteints le jour, sans autre réalité corporelle.

La pesanteur universelle, les mouvements de
rotation et de translation perpétuelles auxquels
obéissent tous les astres rendent compte à la
raison de cette suspension, de prime abord si
merveilleuse.

Etudions donc et décrivons ces mouvements.
Nous reviendrons une autre fois sur la pesanteur ou gravitation universelle.

Vous savez — nous l'avons vu — que le
Soleil entraîne avec lui tout son cortége de planètes, de satellites, de comètes, dans un orbe
encore inconnu, maîtrisé sans doute par un
astre énorme ou par un groupe d'astres. Dans
ce mouvement, dont la vitesse relative est
d'ailleurs fort petite, les corps du système
solaire conservent entre eux et avec le Soleil les mêmes positions respectives, de sorte que
leurs évolutions particulières s'exécutent iden-

tiquement, comme si le Soleil et ses satellites continuaient à occuper le même lieu de l'espace.

Je feindrai donc que le Soleil est immobile, ou, pour parler plus juste, que son centre est fixe dans l'espace.

Eh bien! c'est autour de lui que se meuvent toutes les planètes sans exception. Elles décrivent ainsi, dans des périodes bien différentes, avec des vitesses bien distinctes, des courbes ou orbites de dimensions inégales, conservant par rapport au Soleil, foyer ou pivot de leurs mouvements de révolution, les mêmes moyennes distances.

C'est à Copernic (1543) qu'on doit la découverte du véritable système du monde, de celui qui place le soleil au centre du mouvement de la Terre et des autres planètes. Son ouvrage des *Révolutions célestes*, condamné par la congrégation de l'Index, rend à jamais immortel le nom du chanoine de Thorn.

Tout n'est pas dit cependant quand on sait que Vénus, Mercure, la Terre, Jupiter et toutes les planètes enfin circulent autour du Soleil. N'y a-t-il pas entre tous ces mouvements des relations de durée, de vitesse, et entre les courbes décrites des rapports de forme particuliers?

Telle est la question que s'est posée Képler et qu'il a résolue après dix-sept années de travaux assidus, d'observations et de recherches opiniâtres.

Les lois immortelles auxquelles il a donné son nom, et qu'il a formulées soixante-seize ans après la découverte du système du monde par Copernic, sont un de ces monuments du génie de l'homme qui font l'éternelle gloire de leurs constructeurs. Rien n'égale la sublimité de ces trois grandes lois de tous les mouvements des astres si ce n'est leur simplicité.

Avant d'en donner l'énoncé, qu'on me permette de continuer la description des mouvements planétaires.

Prenons pour exemple le mouvement de la Terre. La courbe qu'elle décrit autour du centre du Soleil est plane, et ce centre reste continuellement dans le prolongement idéal de ce plan.

Eh bien! cette circonstance est la même pour toutes les autres planètes. Chaque orbite est plane, et le plan de chacune passe aussi par le centre du Soleil. Seulement tous ces plans prolongés ne coïncident pas entre eux ; ils sont tous plus ou moins inclinés les uns sur les autres, ou si l'on veut sur le plan de l'orbite terrestre auquel nous sommes convenus de comparer tous les autres.

Néanmoins cette inclinaison est assez faible pour que toutes les orbites et leurs plans prolongés indéfiniment sur la voûte céleste aillent couper cette voûte dans une zône assez restreinte que les astronomes ont désignée sous le nom de Zodiaque.

La Terre décrit son orbite annuelle de telle façon que son pôle nord reste toujours d'un côté du plan, — au-dessus, si l'on veut, — tandis que le pôle sud est toujours de l'autre côté ou au-dessous.

Pour avoir une idée précise de la direction de ce mouvement, plaçons un observateur sur la partie supérieure du plan, au centre de l'orbite ou dans le Soleil, de sorte que sa tête soit dans l'hémisphère nord du ciel, les pieds dirigés vers l'hémisphère sud ou austral.

Dans cette situation, le spectateur verra la

Terre tourner de droite à gauche, autrement dit, d'Occident en Orient.

Or, c'est précisément dans le même sens qu'il verra tourner sans exception toutes les planètes.

Telle est la direction du mouvement de révolution des planètes autour de l'astre vers lequel elles gravitent. Telle est aussi la direction, — je puis le dire dès maintenant, — des mouvements de circulation des corps satellites que certaines planètes entraînent autour d'elles. Ainsi la Lune se meut autour de la Terre, d'Occident en Orient.

Résumons et formulons ce que nous venons de constater.

Les planètes décrivent autour du Soleil des orbites planes, et le centre du Soleil est dans le plan de chaque orbite ;

Le sens du mouvement de révolution est le même pour toutes les planètes. Ce mouvement s'effectue toujours d'Occident en Orient.

Jusqu'à présent rien de plus simple, il me semble. Vous allez voir que les lois de Képler n'ont rien de beaucoup plus compliqué.

Quelle est la forme de l'orbite réelle de la

Terre? Est-ce un cercle parfait dont le Soleil est le centre? Est-ce un cercle excentrique au Soleil? Ni l'un ni l'autre. Tout le monde, je crois, connaît le genre d'ovale auquel on donne le nom vulgaire d'*ovale du jardinier* et dont la description sur le terrain est extrêmement simple. Prenant une corde munie de fiches à ses deux bouts, plantez ces fiches en terre de manière que la corde ait une longueur supérieure à la distance qui les sépare. Puis tournez, en tendant la corde sur le plan du terrain au moyen d'une pointe en bois ou en fer, cette pointe tracera l'ovale dont je veux parler, et que les géomètres nomment une *ellipse*. Les deux points où se trouvent les fiches se nomment les foyers de l'ellipse.

Telle est la nature des courbes décrites autour du Soleil par la Terre et les autres planètes. Et la première *Loi de Képler* se formule ainsi :

Les orbites des Planètes sont des Ellipses dont le Soleil occupe un des foyers.

Képler, croyez-le bien, a sué sang et eau avant d'arriver à ce résultat si simple, et que nous formulons en deux lignes. L'œuvre de géant qu'il avait entreprise et qu'il a menée à bout par la force de sa volonté et de son génie aurait rebuté cent fois une intelligence moins virile, moins pénétrée d'une foi profonde en la nature et d'un noble orgueil.

Si le Soleil occupe un foyer de l'Ellipse, il s'ensuit que la planète, la Terre par exemple, est tantôt plus rapprochée, tantôt plus éloignée du Soleil. Le disque de cet astre doit donc, suivant les époques de l'année, être tantôt plus gros, tantôt plus petit en apparence. L'observation constate ce fait et les variations sont rigoureusement proportionnelles aux distances.

C'est sur la ligne des deux foyers, — qu'on nomme *grand axe* de l'Ellipse, — que se trouvent la plus petite et la plus grande distance. Elles diffèrent de plus d'un million de lieues, pour la Terre du moins, de sorte que pendant l'été de notre hémisphère boréal, la Terre est plus éloignée du Soleil que pendant l'hiver, d'environ un million de lieues. Le contraire arrive pour l'hémisphère austral (1).

(1) En comparant au demi-grand axe de l'Ellipse la demi-différence qui existe entre la distance minimum et la distance maximum de la planète au Soleil, on obtient un nombre que les géomètres appellent *excentricité*.

Il en résulte que l'excentricité la plus grande cor-

Maintenant arrivons à la question de vitesse.

Une planète en parcourant son orbite elliptique conserve-t-elle une vitesse constante? Son
mouvement est-il uniforme? Il n'en est rien.

Comme on pouvait le pressentir, à la variation des distances au Soleil correspond une
variation dans la vitesse. La planète se meut
d'autant plus vite qu'elle s'approche plus du
foyer, ralentit au contraire son mouvement à
mesure qu'elle s'en éloigne. D'après quelle
loi? C'est ce que nous apprend la seconde formule de Képler.

Supposons qu'on divise l'orbite de la planète en portions parcourues pendant des intervalles de temps égaux. D'après ce que nous
venons de dire, la vitesse étant variable, les longueurs de ces portions ne seront point égales,
sans quoi le mouvement serait uniforme. Ces
longueurs seront d'autant plus grandes qu'elles
correspondront à des positions de la planète

respond à l'Ellipse la plus allongée ; la plus courte à
l'Ellipse qui se rapproche le plus du cercle.

Mercure, parmi les grandes planètes, Junon pour les
petites offrent les excentricités les plus considérables.
Vénus et Neptune décrivent des Ellipses presque circulaires.

plus éloignées du Soleil. Entre ces parties de courbe inégales entre elles il existe un rapport cependant. Quel est-il ?

Joignons au Soleil les différentes extrémités des arcs que nous venons de déterminer ; nous formerons ainsi des sortes de triangles ayant leurs sommets au foyer solaire, et dont les bases seront les arcs de courbe en question.

Eh bien, les aires ou surfaces de ces triangles sont toutes égales entre elles. Telle est la seconde loi de Képler.

J'engage ceux de mes lecteurs qui voudront approfondir cette loi d'un énoncé si simple à tracer sur le papier, par un procédé analogue à celui des jardiniers une ovale ou ellipse, à l'un des foyers de laquelle ils supposeront le soleil ; puis à tracer du foyer à la courbe une série de lignes droites qu'on nomme en géométrie des *rayons vecteurs ;* et à diviser ainsi la surface de l'ovale en tranches triangulaires ; ils reconnaîtront facilement que pour obtenir égalité entre les surfaces de ces triangles, il est nécessaire que les plus voisins du foyer ou les plus courts aient des bases plus larges.

S'ils réussissent à former des triangles égaux,

ils auront par cela même divisé l'orbite en arcs parcourus par la planète en des temps égaux.

Ils comprendront alors, j'en suis sûr, l'énoncé de la seconde loi de Képler ainsi formulée :

Les espaces balayés par les rayons vecteurs des planètes en des temps égaux sont égaux ;

Ou, ce qui revient au même :

Les espaces balayés par les rayons vecteurs des planètes sont proportionnels aux temps employés à les parcourir.

Je n'insiste pas davantage ; j'ai la conviction que mes lecteurs m'ont compris. Qu'ils veuillent bien remarquer que j'expose : je ne démontre point. Ces grandes lois, si importantes, si fécondes par les innombrables conséquences que l'astronomie en a tirées, et si simples pourtant, n'est-il pas désirable d'en comprendre au moins avec netteté la formule ? Et cela, sans autres notions que celles du bon sens, sans autre instrument que la raison, sans autre secours qu'un peu d'attention et de bonne volonté.

Il me reste à vous parler de la troisième loi de Képler.

Elle régit les durées des révolutions entières

des planètes autour du Soleil comparées aux longueurs diverses des grands axes de leurs orbites.

Je me propose de vous faire faire bientôt quelques pérégrinations dans les planètes principales : j'aurai l'occasion alors de vous parler du temps que met chacune d'elles à accomplir autour de notre étoile solaire son mouvement de révolution.

Ces durées sont bien inégales : elles varient de trois mois environ à près de 165 années. Elles sont d'autant plus longues que les planètes s'éloignent plus du Soleil. Du reste, en voici le tableau :

	Jours		Jours
Mercure	88	Jupiter	4332
Vénus	225	Saturne	10759
La Terre	365	Uranus	30787
Mars	687	Neptune	60127

Petites planètes de 1193 à 2083.

C'est entre ces nombres, dont je donne ici la valeur approximative à un jour près, et ceux qui mesurent les grands axes des orbites planétaires qu'existe un rapport dont Képler a donné la formule dans sa troisième loi.

8

Qu'on multiplie par eux-mêmes tous les nombres ci-dessus, on formera ce qu'on nomme en arithmétique leurs *carrés*. On aura donc ce qu'on peut appeler les *carrés des temps* des révolutions.

Faites de même les carrés des nombres qui mesurent les grands axes, multipliez encore ces carrés par les mêmes nombres, vous obtiendrez les *cubes des grands axes*.

Or, prenant deux carrés de la première série, puis deux cubes de la seconde, vous trouverez toujours entre les deux premiers nombres le même rapport qu'entre les deux derniers ; et cela, quelles que soient les planètes comparées.

C'est ce que Képler et après lui les astronomes énoncent ainsi :

Les carrés des temps des révolutions des planètes autour du Soleil, sont proportionnels aux cubes de leurs moyennes distances à cet astre.

La durée des révolutions planétaires est donc intimement liée à la longueur des grands axes des orbites, ou, ce qui revient au même, à celle des moyennes distances au Soleil. Et comme cette dernière longueur est invariable, ainsi que

Laplace l'a démontré, on en peut conclure avec certitude qu'il en est de même de la durée des révolutions.

Ainsi l'année terrestre conserve perpétuellement sa durée, quelles que soient les variations auxquelles le mouvement de la Terre est soumis d'ailleurs, et le grand nom de Képler sera éternellement uni à la découverte de cette loi remarquable de la perpétuité de notre système.

Ajoutons que les trois lois de Képler ne régissent pas seulement les planètes, mais encore leurs satellites, de sorte que la Lune, par exemple, observe vis-à-vis de la Terre les mêmes lois que celle-ci à l'égard du Soleil. Il en est de même des huit satellites de Saturne considérés dans leurs mouvements autour de cette planète.

Enfin les mêmes lois régissent encore les mouvements des astres situés au delà de notre monde, ceux des soleils doubles ou triples dont je vous ai entretenus dans nos premières causeries.

HUITIÈME CAUSERIE

Système solaire. — Mouvements de rotation. — Les mouvements apparents et les mouvements réels.

Copernic et Képler s'immortalisent par la découverte du vrai système du monde : le premier débrouille le chaos des mouvements apparents et réels de la Terre, des Planètes et du Soleil ; il débarrase l'Astronomie des épicycles des anciens et des systèmes bâtards de Tycho-Brahé et de Ptolémée. Le second formule en trois lois admirables la théorie de ces mouvements.

Deux autres noms illustres, Galilée et Newton, se rattachent aux principes fondamentaux

de la mécanique céleste. Galilée donne les lois
de la chute des corps à la surface de la Terre ;
Newton s'élève d'un bond à la généralisation
de ces lois, et l'Attraction ou Gravitation universelle est enfin trouvée et démontrée.

Il ne restait plus, après ces grandes découvertes, qu'à compléter la théorie du système du
monde, en rattachant à la gravitation tous les
mouvements astronomiques connus : ce fut
l'œuvre des d'Alembert, des Euler, des Laplace.

Œuvre magnifique, s'il en fut, l'assise la plus
inébranlable de la science moderne bâtie sur
les ruines des erreurs passées, et l'écueil des
superstitions futures.

Mes lecteurs me pardonneront donc, si je
m'appesantis sur ce côté, un peu abstrait peut-
être, de l'Astronomie. C'est un voyage d'agré-
ment, sans doute, que d'avoir à parcourir l'U-
nivers entier : on se laisse aller facilement aux
flâneries du chemin ; une nébuleuse vous sé-
duit, un soleil aux brillantes couleurs, une comète échevelée, vous entraînent. Mais il ne faut
pas oublier que les faits, si curieux, si variés
qu'ils soient, ne sont que les matériaux de la
poésie et de la science, que des lettres-mortes

dans le grand livre de la Vie universelle, quand rien ne les relie, ne les assemble de façon à former de ces caractères isolés la langue de la nature.

« Si l'homme s'était borné à recueillir des faits, les sciences ne seraient qu'une nomenclature stérile, et jamais il n'eût connu les grandes lois de la nature. C'est en comparant les faits entre eux, en saisissant leurs rapports, et en remontant ainsi à des phénomènes de plus en plus étendus, qu'il est enfin parvenu à découvrir ces lois toujours empreintes dans leurs effets les plus variés. Alors, la nature en se dévoilant, lui a montré un petit nombre de causes donnant naissance à la foule de connaissances qu'il avait observées ; il a pu déterminer ceux qu'elles doivent faire éclore ; et lorsqu'il s'est assuré que rien ne trouble l'enchaînement de ces causes à leurs effets, il a porté ses regards dans l'avenir, et la série des événements que le temps doit développer s'est offerte à sa vue (1). »

C'est la même pensée, exprimée de la façon la plus piquante, que l'auteur des *Lettres per-*

____

(1) Laplace, *Exposition du système du monde.*

sanes a placée dans la bouche d'Usbeck, et que je ne puis résister au plaisir de transcrire dans cette causerie. En me plaçant ainsi sous la protection du génie de Montesquieu et de Laplace, on excusera, j'en suis sûr, cette station un peu prolongée dans les abstractions de la science.

« *Usbeck à Hassein, dervis de la montagne de Jaron.*

« O toi, sage dervis, dont l'esprit curieux brille de tant de connaissances, écoute ce que je vais te dire.

« Il y a ici des philosophes, qui, à la vérité, n'ont point atteint jusqu'au faîte de la sagesse orientale : ils n'ont point été ravis jusqu'au trône lumineux : ils n'ont ni entendu les paroles ineffables dont les concerts des anges retentissent, ni senti les formidables accès d'une fureur divine : mais laissés à eux-mêmes, privés des saintes merveilles, ils suivent dans le silence les traces de la raison humaine.

« Tu ne saurais croire jusqu'où ce guide les a conduits. Ils ont débrouillé le chaos, et ont expliqué, par une méchanique simple, l'ordre de l'architecture divine. L'auteur de la nature a donné du mouvement à la matière ; il n'en a pas fallu davantage pour produire cette prodigieuse variété d'effets que nous voyons dans l'univers.

« Que les législateurs ordinaires nous proposent des loix pour régler les sociétés des hommes ; des loix, aussi sujettes au changements que l'esprit de ceux qui les proposent, et des peuples qui les observent ; ceux-ci ne nous parlent que des loix générales, immuables, éternelles, qui s'observent sans aucune exception, avec un ordre, une régularité et une promptitude infinie, dans l'immensité des espaces.

« Et que crois-tu, homme divin, que soient ces loix? Tu t'imagines peut-être qu'entrant dans le conseil de l'Eternel, tu vas être étonné par la sublimité des mystères : tu renonces à comprendre ; tu ne te proposes que d'admirer.

« Mais tu changeras bientôt de pensée : elles n'éblouissent point par un faux respect ; leur simplicité les a fait longtemps méconnaître ; et ce n'est qu'après bien des réflexions qu'on en a vu la fécondité et toute l'étendue.

« La première, est que tout corps tend à décrire une ligne droite, à moins qu'il ne rencontre quelque obstacle qui l'en détourne ; et la seconde, qui n'en est qu'une suite, c'est que tout corps qui tourne autour d'un centre tend à s'en éloigner ; parce que plus il en est loin, plus la ligne qu'il décrit approche de la ligne droite.

« Voilà, sublime dervis, la clef de la nature : voilà des principes féconds, dont on tire des conséquences à perte de vue.

« La connaissance de cinq ou six vérités a rendu leur philosophie pleine de miracles, et leur a fait faire presque autant de prodiges et de merveilles, que tout ce qu'on nous raconte de nos saints prophètes.

« Car enfin, je suis persuadé qu'il n'y a aucun de nos docteurs qui n'eût été embarrassé, si on lui eût dit de peser dans une balance tout l'air qui est autour de la terre, ou de mesurer toute l'eau qui tombe chaque année sur sa surface ; et qui n'eût pensé plus de quatre fois avant de dire combien de lieues le son fait dans une heure ; quel temps un rayon de lumière emploie à venir du soleil à nous ; combien de toises il y a d'ici à Saturne ; quelle est la courbe selon laquelle un vaisseau doit être taillé pour être le meilleur voilier qu'il soit possible.

« Peut-être que si quelque homme divin avait orné les ouvrages de ces philosophes de paroles hautes et sublimes ; s'il y avait mêlé des figures hardies et des allégories mystérieuses, il aurait fait un bel ouvrage, qui n'aurait cédé qu'au saint Alcoran.

« Cependant, s'il faut te dire ce que je pense, je ne m'accommode guère du style figuré. Il y a dans notre Alcoran un grand nombre de petites choses qui me paraissent toujours telles, quoiqu'elles soient relevées par la force et la vie de l'expression. Il semble d'abord que les livres inspirés ne sont que les idées divines rendues en langage humain : au contraire, dans notre Alcoran, on trouve souvent le langage de Dieu et les idées des hommes ; comme si, par un admirable caprice, Dieu y avait dicté les paroles et que l'homme eût fourni les pensées.

« Tu diras peut-être que je parle trop librement de ce qu'il y a de plus saint parmi nous : tu croiras que c'est le fruit de l'indépendance où l'on vit dans ce pays. Non : grâces au ciel, l'esprit n'a pas corrompu le cœur ; et tandis que je vivrai, Hali sera mon prophète. »

« De Paris, le 14 de la lune de Chahban, 1716. »

Quel chef d'œuvre de conception et de style ! quelle fine raillerie, quelle droite raison dans ce morceau, qu'on me saura gré de n'alourdir d'aucun commentaire !

Mais revenons à notre monde.

Toutes les planètes, ai-je dit, se meuvent autour du Soleil en des temps qui croissent avec la distance. Et tous leurs satellites ont un pareil mouvement de circulation autour des planètes. Mais en même temps que tous ces astres parcourent leurs orbites, ils tournent sur eux-mêmes dans le même sens ; de sorte que l'observateur que j'ai supposé placé sur le plan de l'orbite terrestre doit voir tous ces mouvements de rotation s'effectuer de droite à gauche, ou d'Occident en Orient.

La Terre — les enfants l'apprennent aujourd'hui à l'école — exécute ce mouvement rotatoire en vingt-quatre heures environ ; on verra bientôt que telle est la cause des alternatives du jour et de la nuit.

Enfin, le Soleil lui-même tourne aussi sur un axe très-peu incliné sur le plan de l'orbite.

Nous reverrons et étudierons ensemble tous ces mouvements, lorsque, reprenant nos courses et nos visites à nos voisins du monde solaire, nous ferons une revue détaillée de leur constitution physique. Retenons seulement aujourd'hui cette circonstance importante : que tous les mouvements connus, de translation comme de rotation s'effectuent précisément dans le même sens , autrement dit , d'Occident en Orient.

Enfin, il y a cela de particulier dans les mouvements de rotation qu'ils sont uniformes, — chaque point de la surface d'un globe décrivant autour de la ligne idéale ou axe de rotation des arcs égaux en temps égaux ; — et que l'axe est transporté parallèlement à lui-même, dans le mouvement de translation de la planète autour du Soleil.

Pour terminer les généralités qui concernent notre monde solaire, je veux porter votre attention sur les conséquences du système de ses mouvements. La complication qui résulte des apparences a longtemps arrêté les astronomes , mais aujourd'hui que la vérité est connue, rien de plus simple que d'en déduire l'explication des faits observés.

Comme le lieu de l'observation est la Terre,

je rappelle en peu de mots sa situation dans le système. Nous ferons abstraction des inclinaisons, d'ailleurs peu considérables, que les plans des orbites planétaires font avec celui de l'orbite terrestre, ou si vous aimez mieux, nous supposerons un instant que tous ces plans se confondent en un seul.

Les planètes, la Terre exceptée, pourront dès lors se ranger en deux groupes : l'un comprendra Mercure et Vénus, toujours situés à l'intérieur de notre courbe annuelle ; l'autre sera composé des planètes situées en dehors de cette courbe, c'est-à-dire, — dans l'ordre des distances, — de Mars, des planètes télescopiques, de Jupiter, de Saturne, d'Uranus et de Neptune.

On donne aux deux premières, — auxquelles il faudra bientôt adjoindre la nouvelle planète découverte par le docteur Lescarbault, — le nom de planètes *inférieures* ou *intérieures* ; et aux autres celui de planètes *supérieures* ou *extérieures*.

Rappelons en outre que l'année, c'est-à-dire la durée du mouvement de translation de la Terre, surpasse les temps des révolutions des planètes intérieures ; qu'elle est au contraire moindre que les temps des révolutions effectuées par les planètes extérieures.

De quelle façon un observateur situé à la surface de la Terre verra-t-il s'effectuer tous ces mouvements? ou si l'on veut : quelles en seront les apparences ?

Occupons-nous d'abord de Mercure et de Vénus.

Il est clair que le spectateur qui suivra ces deux planètes dans leurs révolutions les verra exécuter un mouvement de va-et-vient autour de l'Étoile centrale, passant au-devant du Soleil quand le mouvement aura lieu d'Occident en Orient; derrière le Soleil, au contraire, quand il s'exécutera d'Orient en Occident. Seulement les passages que je signale n'ont lieu que rarement sur ou derrière le disque même du Soleil, par la raison que les orbites des deux planètes sont, à cause de l'inclinaison que j'ai volontairement négligée, tantôt au-dessus, tantôt au-dessous du plan de l'orbite terrestre.

En outre, la Terre se mouvant elle-même et dans le même sens, mais relativement avec plus de lenteur, il devra en résulter que la durée d'une oscillation complète apparente sera plus grande que la dnrée réelle des révolutions de Vénus et de Mercure.

Tels sont en effet les mouvements apparents des deux planètes inférieures sur la voûte du ciel. Elles s'éloignent toutes deux très peu du Soleil, Vénus à une distance à peu près double de celle de Mercure.

Passons maintenant aux planètes extérieures dont les orbites enveloppent celle de la Terre. Ici je réclame l'attention de mes lecteurs, car je touche à un point parfaitement net, mais très-délicat, de la concordance des mouvements apparents et des mouvements réels.

Supposez en rase campagne un poteau fixé au centre d'un cercle de dix mètres de diamètre, par exemple ; puis se mouvant uniformément, le long de la circonférence du cercle, un observateur, dont l'œil peut embrasser dans tous les points de sa course la partie de l'horizon qui lui fait face. Divers objets, des arbres, des pierres, des maisons lui serviront de repère pour l'expérience qui nous occupe.

Maintenant, imaginez à 100 mètres du même centre un second observateur qui restera d'abord immobile, et notez le point de l'horizon

qu'il cache aux yeux du premier observateur,
au moment où ce dernier commence sa course
autour du poteau central. Pour plus de clarté,
je supposerai encore que celui-ci, — ce sera
vous, cher lecteur, si vous voulez bien, — est
en ligne droite avec le poteau central, le second
observateur et le tronc d'arbre, par exemple,
que sa personne cache pour vous à l'horizon.

Avant de continuer, je vous prierai de relire
ce passage, afin de vous bien pénétrer de la
position respective des deux observateurs et
des points de repère. Si vous vous donnez la
peine de suivre avec attention et exactitude ce
que je vais dire, vous aurez compris nettement,
j'ose le croire, l'un des phénomènes célestes
qui ont le plus longtemps arrêté les astronomes, retardé la découverte du véritable système
du monde et qui en sont, depuis Copernic, la
plus éclatante confirmation : le phénomène des
stations et des rétrogradations des planètes
supérieures.

J'engage donc ceux de mes lecteurs qui auront la patience d'exécuter eux-mêmes la petite
expérience que j'imagine, à ne point se contenter de cette lecture attentive. C'est un sacri-

fice d'une demi-heure que je sollicite de leur curiosité : pour compensation, ils auront la satisfaction d'avoir parfaitement compris.

Cette parenthèse fermée, je continue.

Vous partez donc le long de votre cercle, de droite à gauche, pour fixer les idées. A mesure que vous décrivez le premier quart de la circonférence, vous voyez l'observateur immobile se déplacer en apparence, découvrir l'arbre qu'il cachait et s'avancer de gauche à droite.

Quand vous arriverez à la fin de votre premier quart et au commencement du second, il vous paraîtra un moment stationnaire, puis, rebroussant chemin, semblera faire en sens inverse le même trajet pour cacher de nouveau l'arbre qui nous sert de repère à l'horizon. Vous avez, en ce moment accompli moitié de votre course circulaire.

En parcourant l'autre moitié, vous verrez l'observateur se déplacer de droite à gauche, s'arrêter une seconde fois et revenir enfin au point de départ, au moment précis où votre course sera terminée.

A chaque tour que vous ferez, se représenteront dans le même ordre les mêmes phénomènes.

Mais pourquoi ai je choisi un second spectateur au lieu d'un poteau, qui l'eût parfaitement
remplacé ? Le voici :

Au lieu de supposer maintenant notre observateur immobile, nous allons le faire mouvoir
dans le même sens que vous autour d'un cercle ayant le même centre que le vôtre, mais un
diamètre de cent mètres. Vous achevez votre
tour en une minute ; admettons qu'il lui faille,
à lui, une demi-heure pour parcourir le sien.
Sa vitesse ne sera que le tiers de la vôtre, et
pendant que vous ferez un tour entier, il ne
parcourra que la trentième partie de son propre
cercle.

Qu'en résultera-t-il pour les mouvements apparents de station et de rétrogradation observés tout à l'heure? qu'ils seront ralentis dans
une certaine proportion ; mais il est clair qu'ils
subsisteront toujours dans le même ordre.

Et bien, c'est là précisément ce qui arrive
pour la Terre et une planète supérieure, Saturne par exemple.

Le poteau central est le Soleil ; c'est vous qui
représentez la Terre, et le cercle que vous avez
décrit est son orbite annuelle. Le second ob-

servateur placé à cent mètres est Saturne, qui
met trente ans environ à accomplir sa révolution. Les points de repère situés à l'horizon
sont les étoiles parsemées dans le ciel et que
leur grande distance nous fait paraître relativement immobiles. Saturne semble ainsi chaque
année exécuter devant le fond étoilé du ciel des
mouvements tantôt rétrogrades, c'est-à-dire
dans le sens du mouvement de la Terre, tantôt directs, c'est-à-dire en sens contraire de ce
mouvement. A deux stations, elle paraît à peu
près immobile. On vient de voir l'explication
naturelle de ces apparences, qui ne sont que
des effets de perspective. La réalité, c'est le
mouvement de la Terre autour du soleil, c'est
le mouvement de Saturne autour du même
astre.

Appliquez ce que je viens d'exposer à toutes
les planètes supérieures, et vous comprendrez
comment les mouvements vrais se transforment
sur la voûte du ciel en mouvements compliqués,
que l'ignorance du vrai système du monde rendait indéchiffrables pour les astronomes.

A bientôt, notre prochaine excursion dans le
Soleil !

NEUVIÈME CAUSERIE.

―――

Le Soleil. — Son mouvement de rotation. — Sa constitution physique.

Il y a sur la Terre, suivant les calculs plus ou moins dignes de foi des géographes, mille millions à peu près d'êtres doués d'une certaine intelligence ; çà et là travaillant, naviguant, pillant au besoin et s'entretuant gentiment les uns les autres. Cette fourmilière vit sur un globe à peine dégrossi, qu'elle ne connaît guère, usant ses facultés et ses forces à se disputer, de groupe à groupe, quelques bandes de terre, quelques lisières de montagnes, tandis que les deux tiers de son domaine restent en friches et

inhabités. Le plus clair de ses ressources lui
provient de la fécondité naturelle du sol, labo-
rieusement sollicitée par d'incessants travaux,
mais en somme, obtenue par certaines combi-
naisons de lumière, d'humidité et de chaleur.

Eh bien, interrogez, je ne dirai pas les neuf
cent quatre-vingt-dix-neuf millièmes, mais les
neuf cent quatre-vingt-dix-neuf mille neuf cent
quatre-vingt-dix-neuf millionièmes de cette agglomération encore barbare qu'on nomme l'humanité, et vous serez bien heureux si, dans
ce nombre, vous en trouvez un qui ait une idée
même confuse de ce qu'est la Terre qu'il ha-
bite, de ce qu'est le Soleil qui le nourrit, le
réchauffe et l'éclaire. Vous n'en trouverez guère
plus qui désirent le savoir, qui se soient même
une fois dans leur vie posé sérieusement ces
questions. Hé ! gagner son pain de chaque jour,
à la sueur de son front, produire deux pour
récolter un, sont choses si dures que, pour
mon compte, je pardonne bien volontiers à
cette ignorance, à cette indifférence involontaire.

Mais ce qui me choque, c'est de voir tant de
braves gens, à qui leur fortune permet de développer leur intelligence, qui héritent sans

peine du privilége de vivre sans rien faire, tuer leurs loisirs en futilités et en intrigues. Apprendre, pour eux d'abord, et transmettre ce qu'ils savent à ceux dont ils absorbent les produits, serait, ce me semble, un moyen assez bien imaginé de faire excuser leur parasitisme.

Il faut avouer, pour être juste, qu'on fut longtemps à connaître un peu la Terre, plus longtemps encore à connaître le Soleil. *Le style figuré* nuisit à la découverte du vrai et depuis les mythologues grecs, qui firent du Soleil un char étincelant traîné par des chevaux de feu et conduit par Apollon, jusqu'à St-Augustin, qui tonna contre la croyance aux antipodes, croyance hérétique, s'il en fut, le mélange du sacré et du profane ne fit que répandre dans le vulgaire les plus fausses idées.

Servons-nous donc de la langue des hommes, ainsi que le recommande le sage Usbeck, et embarquons-nous pour le Soleil.

De la Terre où nous sommes, la grandeur apparente du disque solaire est d'environ là trois cent soixantième partie du demi-cercle de la voûte du ciel, c'est-à-dire d'un demi-degré en moyenne. En l'examinant au moyen d'un verre coloré, ou encore par un ciel brumeux, il est facile de constater sa forme parfaitement ronde; mais ce n'est là qu'une approximation grossière. C'est au moyen d'un instrument que les astronomes appellent *héliomètre,* qu'on a pu prouver la parfaite égalité des diamètres du disque.

Comment ce corps éblouissant n'est-il qu'une simple étoile, ainsi que nous l'avons reconnu ? C'est là ce qu'on s'imagine tout d'abord assez difficilement. Cependant, reculez le Soleil, par la pensée, jusqu'à l'étoile la plus voisine, il se trouvera 200,000 fois plus loin de nous, et la grandeur de son diamètre apparent sera diminuée dans la même proportion, c'est-à-dire, tout calcul fait, ne sera plus guère que la centième partie de la *seconde,* qui est elle-même la trois mille six centième partie du degré. En vérité, la largeur de ce disque ne sera plus que la dixième partie de la plus petite quantité angulaire que les instruments les plus parfaits et les observateurs les plus habiles sont parvenus à mesurer. Le Soleil se trouverait donc réduit à l'apparence d'un point lumineux, c'est-à-dire à celle que présente une étoile quelconque. Nous voilà donc assurés d'un fait que j'avais d'abord avancé sans preuves.

Le Soleil nous paraît-il toujours d'égale grandeur? Non, et la raison en est simple : la Terre décrivant autour de lui une courbe qui n'est pas un cercle, mais une ellipse ayant le Soleil à son foyer, les distances varient sans cesse. J'en ai fait la remarque en parlant des lois de Képler. Or, c'est pendant l'hiver de notre hémisphère boréal que la distance de la Terre au Soleil est la plus petite, en été qu'elle est la plus grande, et le rapport entre ces distances extrêmes est environ celui des nombres 59 et 61. Tel est donc aussi, à très-peu près, mais dans un ordre inverse, le rapport des dimensions apparentes du Soleil en hiver et en été pour nos régions.

Il est déjà facile d'en conclure que la température des saisons de notre hémisphère n'est pas due à la plus ou moins grande proximité du Soleil (1). Mais l'occasion d'expliquer la cause de l'alternative des saisons viendra na-

---

(1) Le rapport des surfaces du disque solaire est, dans ces deux cas, à peu près celui des carrés de 61 et de 59, c'est-à-dire, celui des nombres 3721 et 3481. La lumière et la chaleur envoyées par le Soleil en été étant donc représentées par 3481, celles qu'il nous envoie en hiver l'est par le nombre 3721.

turellement, quand nous étudierons les phénomènes d'astronomie particuliers à la Terre.

Je ne parlerai pas de ce que tout le monde
connaît, de l'éclat prodigieux de la lumière solaire, qu'aucune vue ne peut soutenir sans danger, de l'illumination de l'atmosphère par cette
lumière, illumination si forte que par un
temps pur, c'est à peine si l'œil la peut sup-
porter. Il suffit, pour se faire une idée de
l'intensité du fond du ciel pendant une bonne
journée, de remarquer qu'elle fait disparaître
les plus brillantes étoiles, et cela bien avant
d'être arrivée à son maximum. Quant à la lumière même du Soleil, c'est alors seulement
qu'elle est tamisée par son passage à travers
les nuages, qu'elle devient supportable à la
vue de l'homme.

Cependant le soir et le matin, à son coucher
et à son lever, le Soleil est accessible à la vue
simple, ses rayons se trouvant considérablement affaiblis par leur passage oblique à travers les couches inférieures de l'atmosphère
plus chargées de brumes que les parties supérieures. En hiver aussi, quand le brouillard
s'élève, il arrive assez souvent qu'on peut con-

templer nettement le disque ; les brouillards
tiennent alors lieu de verre coloré.

Enfin, je ne m'arrêterai point à l'analyse de
cette lumière, qui est ce qu'on nomme la lumière blanche, ni à sa décomposition en sept
couleurs fondamentales, parce que tout cela
n'est plus de l'astronomie, mais de la physique.

Au premier aspect, si l'on se contente d'examiner le Soleil dans les circonstances que je
viens de rappeler, l'éclat du disque paraît uniforme et parfaitement pur. Mais il n'en est plus
de même lorsqu'on l'examine attentivement,
avec un grossissement quelconque. Alors apparaissent sur sa surface des taches plus ou
moins noires, des parties plus brillantes que le
fond même du disque, variables de forme, de
nombre et de position ; phénomènes curieux
dont l'étude raisonnée permet de faire sur la
constitution physique du foyer de notre monde
des conjectures d'une grande probabilité.

Mais faites comme moi, je vous prie, prenez
une lunette astronomique ou même une simple
longue-vue, munissez l'oculaire d'un verre
coloré et braquez-le sur le Soleil. Voyez-vous

sur le bord oriental ou occidental, — suivant
que vous observez avec la lunette astronomique
qui fait voir les objets renversés ou avec la
longue-vue qui les montre droits, — voyez-
vous, dis-je, cette tache noire en apparence et
de forme un peu ovale, par exemple. D'autres
taches de formes diverses parsèment peut-être
çà et là la surface du disque : ne nous en oc-
cupons pas, si vous voulez bien, pour cette
fois.

Notez avec le plus d'exactitude possible la
la position de la tache observée. Faites de
même pendant plusieurs jours consécutifs :
vous la verrez s'approcher progressivement vers
le centre, se mouvant lentement les premiers
jours et de plus en plus vite jusqu'au septième
environ, jour où elle atteindra le centre même.
Vous remarquerez que la forme ovale s'est
ainsi progressivement élargie, sans avoir aug-
menté dans le sens de la longueur.

Continuez les mêmes observations pendant
sept jours encore : du centre, la tache se
sera avancée vers le nord opposé, sa vitesse
diminuant à mesure et en sens précisément inverse de sa progression première. Enfin elle

disparait à cette époque, à l'endroit même où elle avait reparu d'abord.

Tout ne s'est-il point passé comme si un corps noir s'était mu à la surface du globe solaire d'un mouvement réel uniforme? Oui, sans doute, puisqu'alors l'effet de la perspective a dû produire pour l'observateur cette variation apparente de vitesse et de forme. Mais toutes les taches, quelles qu'elles soient, mettent le même temps à accomplir cette révolution autour du globe. C'est donc le globe du Soleil qui se meut lui-même et tourne autour d'un axe idéal, entraînant avec lui les accidents que présente sa surface. On ne peut soutenir, en effet, que les taches soient produites par l'interposition de corps opaques circulant en avant du Soleil, puisque dans cette hypothèse, la variation de vitesse, précisément semblable à celle d'un corps qui se meut sur une sphère, n'aurait aucune raison d'être. Le changement de forme, si facile à comprendre quand on admet la rotation du Soleil, serait inexplicable d'ailleurs. Enfin la circonstance particulière de l'égalité de durée pour l'accomplissement d'une entière révolution des taches, quelles que soient leurs positions sur le disque, et le parallélisme de leurs mouvements ne permettent pas non plus d'admettre que ces taches soient des corps en mouvement sur le disque immobile du Soleil.

Nous aurons donc de la sorte constaté un mouvement de rotation du Soleil sur lui-même d'Occident en Orient, c'est-à-dire dans le sens même du mouvement de translation de la Terre. Combien de temps aura-t-il mis en apparence à accomplir ce mouvement? Vingt-sept jours et demi environ.

Mais pourquoi dis-je : *en apparence ?* Le voici :

Si pendant les vingt-sept jours et demi que la tache observée a mis à accomplir sa révolution autour du globe solaire, la Terre était restée immobile en face du Soleil, n'est-il pas clair que la durée réelle et la durée apparente de la rotation seraient précisément une seule et même chose. Or, il n'en est rien. En vingt-sept jours et demi la Terre se meut autour du Soleil dans le même sens que la tache observée, et entraîne avec elle l'observateur. On conçoit alors, que ce dernier voie cette tache

plus longtemps qu'il ne l'eût fait sans ce mouvement de translation. Il arriverait même qu'il
ne la perdrait jamais de vue et qu'elle paraîtrait
immobile, si le mouvement de translation de
la Terre était aussi rapide que le mouvement
de rotation du Soleil. Il n'en est rien, mais un
calcul très-simple permet d'obtenir la durée
réelle de cette rotation, qui est de vingt-cinq
jours et demi environ.

Ce n'est donc pas la même face, le même
hémisphère que nous présente le Soleil, dans
cet intervalle, mais bien nécessairement toutes ses faces.

Etudions maintenant pour eux-mêmes ces
phénomènes qui viennent de servir à nous démontrer le mouvement de rotation de notre
étoile centrale.

Les taches sont très-variées de forme et de
grandeur. On en a vu dont le diamètre était
plus de dix fois supérieur à celui de la Terre,
c'est-à-dire de plus de 30,000 lieues. Elles ne
sont pas permanentes, apparaissent presque
subitement et disparaissent de même, après
avoir varié de grandeur et de forme pendant
une période de temps qui peut durer jusqu'à six

mois. Outre leur mouvement apparent dû à la rotation réelle du Soleil, elles ont presque toujours un mouvement propre de déplacement quelquefois assez rapide : c'est ainsi qu'on a trouvé pour la vitesse d'une tache particulière 111 mètres par seconde.

Les variations de forme des taches sont parfois bizarres. L'une d'elle a paru se briser, pour ainsi dire sur le Soleil, comme un morceau de glace projeté sur le plan poli de la surface congelée d'où on l'a tiré ; les fragments se sont échappés suivant les rayons d'une étoile ayant pour centre la position de la tache primitive.

La partie noire et centrale des taches qu'on nomme noyau est presque toujours entourée d'une partie moins obscure : c'est ce qu'on nomme la pénombre. On voit, mais rarement, des taches sans pénombre comme aussi des pénombres dépourvues de noyau.

Dans le voisinage des taches, il existe presque toujours des portions du disque notablement plus brillantes que le fond lumineux du Soleil. Ce sont les facules. L'apparition d'une tache est presque toujours précédée de la formation de facules dans le voisinage.

Enfin, le fond du disque, loin d'être poli comme on le croirait au premier aspect, est couvert de rides lumineuses qu'on nomme lucules, donnant au Soleil l'aspect d'une surface brillante pointillée par le burin.

Telle est la description sommaire des phénomènes variés que présente l'aspect du disque solaire. J'ajouterai qu'un grand nombre d'observations ont permis de conjecturer que la présence d'un nombre plus ou moins considérable de taches coïncide avec des variations correspondantes de la température terrestre : les années les plus chaudes sont celles où le Soleil offre le plus de ces accidents.

Il y a aussi une connexion très-remarquable entre les maximums et les minimums de taches observées, — lesquelles ont lieu à des intervalles périodiques de 10 à 12 ans, — et les variations de l'aiguille aimantée.

L'observation raisonnée et détaillée de tous ces phénomènes, après un grand nombre d'hypothèses successivement rejetées, ont enfin amené les astronomes aux données suivantes sur la constitution physique du Soleil.

Cet immense globe, dont le volume est un

million quatre cent mille fois celui de la Terre, dont le diamètre est 110 fois le diamètre de cette dernière, est formé d'un noyau relativement obscur, entouré de trois atmosphères. La première, analogue à notre atmosphère nuageuse, entoure complétement le noyau ; la seconde, formée d'un gaz en ignition permanente, et nommée pour cette raison photosphère, entoure la première ; c'est la source lumineuse et calorifique du soleil même et c'est la surface de cette photosphère qui termine à nos yeux le disque limité et défini de cet astre. La première atmosphère nuageuse intercepte les rayons les plus vifs de la photosphère, et permet de supposer jusqu'à un certain point l'habitabilité du Soleil. Enfin, au-dessus de ces deux atmosphères et rayonnant indéfiniment s'en trouve une troisième dont l'éclat va en décroissant sans cesse à mesure que la distance au Soleil augmente.

C'est dans cette dernière couche que semblent flotter les nuages roses dont la présence a été révélée et définitivement établie par la récente éclipse totale de soleil.

Telle est l'hypothèse la plus probable sur la

constitution physique de notre étoile centrale. A ce propos, qu'on me permette de terminer cette causerie par quelques mots sur ce que l'on doit entendre par une *hypothèse* dans les sciences positives.

Depuis que la méthode a été formulée par Bacon, par Descartes et par les philosophes successeurs de ces puissants génies, la science s'est constituée par la combinaison de l'observation, de l'expérience et du raisonnement. L'analyse a conduit à la découverte des vérités, à la solution des problèmes ; et de l'ensemble des faits particuliers et des lois spéciales, on a pu déduire la théorie, ce couronnement suprême des travaux scientifiques.

Mais, dans ce passage de l'ignorance à la science, de la connaissance imparfaite à la synthèse générale, il se présente des phases intermédiaires où la vérité est incomplétement entrevue, où la loi ne peut se formuler encore, et où cependant l'intelligence a besoin d'un fil conducteur pour relier ce qu'il a trouvé et passer à de nouvelles découvertes.

C'est alors qu'il émet une hypothèse. Scientifiquement parlant, l'hypothèse est donc la for-

mule provisoire qui, dans un point quelconque
de la science, explique et résume tous les phénomènes connus, sans prétendre pour cela au
titre de vérité absolue. Que de nouveaux phénomènes se révèlent, de deux choses l'une :
ou bien l'hypothèse adoptée en donne une explication rationnelle, ou elle ne peut en rendre
compte et leur est même contradictoire. Dans
le premier cas, l'hypothèse subsiste, est même
confirmée ; dans le second cas, le savant rejette,
démolit cet échafaudage insuffisant, et construit une nouvelle formule, une hypothèse nouvelle, jusqu'à ce que des observations, des expériences, des raisonnements décisifs, aient
enfin fait passer l'ensemble des faits et des lois
dans le domaine indestructible de la science
démontrée.

DIXIÈME CAUSERIE.

La Terre. — Sa forme et ses dimensions. — Mouvement diurne, et jour sidéral.

On entend souvent, dans le monde, accuser la science d'aridité, de prosaïsme ; et les censeurs ont raison, s'ils entendent par science tout l'attirail des moyens qui ont servi à sa création, à son développement. Mais qu'ils ne s'y trompent point alors : ils ressemblent fort aux gens qui, ayant horreur des échafaudages, des échelles, du mortier, du plâtre, et des couleurs, traiteraient l'architecture d'art malpropre et désagréable, et sous ce prétexte, refuseraient obstinément de comtempler et d'admirer l'élégance

et la majesté des œuvres de Brunelleschi et de
Michel-Ange.

Qu'un astronome emploie les instruments les
plus ingénieusement compliqués, pour donner
à ses observations la précision qu'elles de-
mandent ; qu'il emprunte ensuite le secours
des mathématiques dans la recherche des formules et des lois ; qu'il imagine à grand ren-
fort de logique, les hypothèses les plus propres
à rendre compte des phénomènes ; que, dans
cette œuvre de labeur et quelquefois de génie,
il néglige assez voloutiers le côté artistique et
poétique de ses découvertes, pour ne s'émou-
voir que de leur beauté intellectuelle, il n'y a
dans tout cela rien que de fort naturel, et je
trouverais, pour ma part, le sentimentalisme
fort mal venu et inspiré de vouloir fourrer son
nez dans ce qui est et sera pour lui lettre close,
tant que la méthode sera en honneur parmi les
hommes.

Mais, pour nous qui ne sommes pas des savants, qui voulons laisser aux savants, avec
leurs pénibles travaux, la gloire légitime de les
avoir menés à bout, c'est tout autre chose.
Nous prétendons, en frelons que nous sommes,

nous nourrir de ce miel, nous enivrer à plaisir des pures jouissances que procure la contemplation de l'univers infini, des merveilleuses pérégrinations de ses mondes.

Qui ne s'est surpris à rêver un voyage dans les profondeurs de l'espace, roulant avec les globes d'or, écoutant dans le ravissement les vibrations de l'éther produites par le tournoiement rapide des masses imposantes? Quand on se représente, dans d'impuisantes images, la prodigieuse grosseur (1), la gigantesque circonférence du globe solaire, criblé à sa surface de trous où s'engloutirait notre Terre, comme une pierre jetée dans un puits; quand on imprime par la pensée à cette sphère éblouissante une vitesse de rotation de plus de 40,000 lieues à l'heure, il est impossible de n'être point comme anéanti par la grandeur d'un tel spectacle.

Imaginez ce qu'un tel corps contient et fournit de puissance lumineuse et calorique, et sans

(1) Si l'on suppose le centre du Soleil placé au centre de la Terre, la surface du globe solaire dépassera du double environ l'orbe de la Lune, laquelle est cependant à environ 96,000 lieues de nous! Cette remarque peut donner une idée des dimensions de notre étoile

doute de force électrique et magnétique. Assis-
tez en esprit à ses vastes déchirements qui se
font dans les enveloppes atmosphériques, en
nous laissant voir le noyau lui-même, et qui
produisent pour notre vue l'apparence de taches, météores bizarres, ouragans terribles dont
nous ne pouvons avoir qu'une imparfaite idée.

Mais il faut laisser le champ libre à vos réflexions, à votre imagination personnelle ; il
appartient à chacun d'imprimer au sentiment
poétique dont il s'inspire, la tournure, le ca-
chet, la couleur qui lui est propre.

Je reviens donc à notre Terre.

C'est pour elle que je recommencerai la revue
des planètes. L'étude de ses mouvements et de
sa constitution nous permettra de mieux saisir
les éléments analogues des autres satellites solaires.

Et puis, c'est notre mère, *alma parens ;* à
ce titre seul ne mériterait-elle point notre pré-
férence?

Malheureusement, j'ai peur, en commençant,
de faire concurrence aux cours de géographie
et de cosmographie dont plus d'un de mes lec-

teurs possède peut-être encore chez lui l'exemplaire dépareillé.

Aimable souvenir d'un bon temps qui n'est plus ;

Et de rappeler ainsi les soporifiques récitations entremêlées de retenues et de pensums, de pages à copier et de vers latins à extraire d'un *Gradus*.

Je ne dirai donc rien, ou peu de chose, de la forme de la Terre. Tout le monde sait que c'est celle d'une sphère ou mieux d'un ellipsoïde aplati, c'est-à-dire d'un corps engendré par la rotation d'un ovale ou ellipse tournant autour de son plus petit diamètre. Je n'apprendrais rien à mes lecteurs en leur disant que cet aplatissement est d'un trois centième environ du rayon qui aboutit à l'équateur, c'est-à-dire à la partie la plus renflée du globe terrestre ; de sorte que la dépression des pôles, est pour chacun d'eux de cinq lieues environ. Enfin, j'imagine que chacun se rappelle la définition du méridien d'un lieu, plan imaginaire qui, passant par le lieu supposé, couperait la Terre en deux moitiés suivant la ligne même des pôles. Prolongé dans le ciel, ce plan méridien laisse sur la voûte du firmament la trace d'un cercle idéal ou méridien céleste. Une étoile, le Soleil, la Lune sont au méridien, inférieur ou supérieur, quand le point lumineux qui forme l'étoile, le centre du Soleil ou celui de la Lune occupent une position sur cette ligne idéale.

Dire comment on est arrivé à reconnaître la rondeur de la Terre ; soit par la forme toujours circulaire des horizons terrestres ou maritimes, soit par la disparition successive, derrière la courbure du globe, de la coque, puis des voiles, puis des sommets des mâts d'un navire, soit encore par la forme de l'ombre que la Terre projette sur la Lune dans les éclipses ; exposer par quelle série de travaux géodésiques et astronomiques on est parvenu à reconnaître les différentes longueurs des degrés du méridien aux différentes latitudes, comment on en a déduit la forme précise et les dimensions de la Terre, tout cela sort évidemment de mon cadre, et je ne m'y arrêterai point.

Seulement, pour donner une idée sensible de ces dimensions, je ferai l'hypothèse suivante :

Imaginez une boule d'un mètre de diamètre environ. L'aplatissement polaire sera presque inappréciable à l'œil, puisque alors les 5 lieues de dépression seront représentées par un millimètre et demi.

L'épaisseur de la croûte solide, c'est-à-dire du sol, au-dessus duquel se trouve la masse en fusion et incandescente du noyau terrestre, sera de 3 millimètres, à peu près celle d'une forte feuille de carton.

L'élévation moyenne des continents au-dessus du niveau des mers sera d'un cinquantième de millimètres, et la plus haute montagne du globe, le fameux Gaurisankar de l'Himalaya, paraîtra dépasser ce même niveau d'à peu près les sept dixièmes d'un millimètre. Enfin, la profondeur moyenne des mers sera quelque chose comme les deux cinquièmes d'un millimètre. Une couche d'eau étendue sur le globe avec un pinceau suffisamment humecté donnerait une assez juste idée de la masse des eaux de l'Océan (1).

_____

(1) Voici quelques détails numériques sur les dimensions de la Terre. On sait que la circonférence

Ainsi la masse du globe terrestre est si considérable en comparaison des accidents de sa surface que cette dernière peut être, sans erreur sensible, regardée comme une sphère unie. Qu'est donc cette masse par rapport à nous ? Et cependant nous avons vu que la Terre est un grain de sable, un atome dans le système des mondes que comprend l'univers visible !

J'arrive maintenant à la Terre considérée comme faisant partie du cortége de Planètes qu'entraîne autour de lui et maîtrise le Soleil.

La Terre a, comme les Planètes ses sembla-

---

d'un méridien a été prise pour base du système de mesures qui tire son nom de l'unité de longueur, du *mètre*. Le mètre, étant par définition la 10,000,000me partie du quart de ce méridien, il s'ensuit que la circonférence totale de la Terre, en passant par les pôles, est de 40,000 kilomètres ou 10 mille lieues de 4 kilomètres.

La circonférence de l'Equateur est de 10,664 lieues.

Le rayon polaire a 6,356,079 mètres ou 1,589 lieues.

Le rayon équatorial a 6,377,398 mètres ou 1,594 lieues.

L'épaisseur de la croûte terrestre solide est d'environ 40 kilomètres.

Enfin la plus haute montagne a 8,840 mètres de hauteur, et la plus grande profondeur des mers mesurées, est de 14,000 mètres.

Il est facile, avec ces données, de vérifier l'exactitude de ce que j'ai dit plus haut.

bles, deux mouvements : l'un de rotation sur un axe idéal, passant par les pôles ; l'autre de translation ou de révolution autour de l'Etoile centrale du système.

Etudions en particulier chacun de ces mouvements. Cette étude nous dispensera de reprendre en détail les phénomènes analogues, pour les diverses Planètes,

Tout le monde sait que le Soleil, la lune, les Etoiles, tous les astres enfin visibles dans le Ciel, exécutent tous ensemble et à peu près tout d'une pièce une rotation apparente qui produit les phénomènes de *lever*, de *coucher*, de *passage* au méridien. Tous ces astres apparaissent à l'Orient, s'élèvent, décrivent des arcs de cercle parallèles, montent ainsi à une position supérieure dans la voûte du firmament, s'abaissent par un mouvement contraire, et disparaissent enfin à l'Occident.

Un certain nombre d'Etoiles — je raisonne maintenant pour nos régions de la zone tempérée — ne disparaissent point et décrivent des cercles entiers. Enfin, une région particulière du Ciel, occupée par une Etoile qu'on nomme la Polaire , semble rester immobile. Un pareil point, également immobile, existe dans le Ciel des régions australes.

Il semble donc que le Ciel entier décrive, en un jour environ, une rotation complète autour d'une ligne qui passe par deux points opposés, et en même temps par les deux pôles terrestres. Ce phénomène a reçu le nom de mouvement diurne.

Or, cette apparence est produite par un mouvement en sens contraire du globe terrestre. Je ne m'arrêterai point à la réfutation de l'hypothèse du mouvement du Ciel ; trois siècles nous séparent de Copernic et de Galilée ! Les preuves de toute sorte abondent : c'est, en premier lieu, l'absurdité d'une hypothèse qui exigerait pour les millions de points lumineux situés à des distances si diverses, une concordance incroyable de mouvements ; les uns, Saturne par exemple, devant alors se mouvoir avec une vitesse de 22 milles lieues, les autres, la 61ᵉ Etoile du Cygne, avec une vitesse de 1 milliard 560 millions de lieues par seconde.

C'est, en second lieu, la déviation observée dans la chute verticale d'un corps pesant vers l'Est, déviation provenant de l'inégalité de la

force centrifuge à la surface de la Terre et à
100 mètres de hauteur, par exemple (1).

C'est, enfin, l'impossibilité de concilier l'immobilité de la Terre, la vitesse connue de la lumière avec l'apparence des phénomènes célestes (2) ; puis les expériences curieuses exécutées dans ces dernières années au moyen de pendules oscillants, suspendus à une grande hauteur. J'indique ces preuves sans en donner le détail, qu'on trouvera dans les traités d'Astronomie. En agissant autrement, je ferais invasion dans le domaine des démonstrations techniques, et je dépasserais le cadre que je me suis fixé.

(1) Quand on fait tourner une pierre à l'extrémité d'une fronde par exemple, elle tend à s'échapper suivant une tangente au cercle décrit, et cela avec une vitesse d'autant plus grande, pour une même vitesse de rotation, que la corde ou le rayon du cercle est plus grande. Cette force centrifuge, développée par le mouvement de la Terre, est donc plus grande à 100 mètres de hauteur qu'à la surface. Elle donnera donc à un corps grave qui tombe de cette hauteur une impulsion dont l'effet visible sera une déviation vers l'est de la verticale. Des expériences ont en effet constaté cette déviation.

(2) Voyez l'*Astronomie populaire* d'Arago, pages 40 et 41.

Quelle est la durée du mouvement diurne ? En d'autres termes, combien la Terre met-elle de temps à exécuter autour de son axe une complète évolution ? Mais, pour préciser mieux encore le sens de cette question, je suppose qu'on coupe la Terre, suivant son axe, par un plan méridien, et qu'à un moment donné ce plan prolongé contienne une Etoile déterminée, Aldebaran par exemple. Après quel intervalle de temps le plan méridien, après avoir exécuté une révolution complète, viendra-t-il de nouveau coïncider avec Aldebaran ? Après 24 heures, pensez-vous peut-être ? Eh bien, non : c'est seulement après 23 heures 56 minutes, que le mouvement rotatoire sera réellement accompli.

Pour distinguer ce jour du jour ordinaire, on l'a nommé *jour sidéral*. Puis on l'a divisé en 24 heures *sidérales*, dont chacune est par conséquent plus petite que l'heure ordinaire ou moyenne. Il y a, dans l'année, 366 environ de ces jours sidéraux, ou, si l'on veut, 366 révolutions de la Terre autour de son axe, par rapport aux Etoiles considérées comme points de repère.

Je donnerai plus loin la raison de cette différence entre le jour sidéral et le jour solaire,
lorsque je décrirai le phénomène de la translation de la Terre.

Pour terminer cette causerie, je constaterai
un point d'une extrême importance pour l'explication des mouvements et des phénomènes
astronomiques.

Mes lecteurs ont-ils mémoire de ce que nous
avons dit du plan de l'orbite terrestre, ou de la
courbe elliptique décrite par le centre de la
Terre autour du Soleil? C'est la situation de
l'axe de rotation de notre globe, par rapport à
ce plan que je veux préciser.

Cet axe n'est point perpendiculaire à ce plan,
mais assez fortement incliné. L'angle qu'il fait
constamment avec lui est les trois quarts environ d'un angle droit. Par suite, le cercle de l'E-
quateur terrestre est aussi incliné sur le plan
de l'écliptique d'un angle un peu plus grand que
le quart d'un angle droit.

De plus, l'axe de la Terre reste toujours parallèle à la même direction, quelle que soit sa
position et l'époque de sa translation annuelle,
de sorte que c'est toujours les deux mêmes

10

points que l'axe va percer dans la voûte céleste. L'immense distance, à laquelle on a vu
que se trouvent les Etoiles, explique comment
l'axe de la Terre, dans son parallélisme, ne
promène point avec lui sur le Ciel sa propre
intersection. De même, la ligne suivant laquelle
l'Equateur terrestre, ou son plan, coupe le plan
de l'écliptique, reste toujours parallèle à elle-
même dans toute l'année.

Les faibles déviations de ce parallélisme, dont
je dirai un mot dans une causerie ultérieure,
sont trop minimes, pour qu'il soit nécessaire
d'en tenir compte maintenant.

Les phénomènes du jour et de la nuit s'expliquent naturellement par le mouvement diurne. On va voir que le mouvement de translation, joint au parallélisme de l'axe terrestre, explique à merveille l'alternative des saisons à la
surface du globe.

ONZIÈME CAUSERIE.

Mouvement de translation de la Terre. — Année. — Pourquoi les jours sidéraux sont plus courts que les jours solaires.— Inégalité des jours et des nuits. — Saisons.

Si l'aspect du ciel et des merveilles qu'il offre à la curiosité humaine est de nature à provoquer l'admiration, la connaissance des mouvements des astres et de leurs lois n'est pas moins propre à contenter l'esprit, par la précision avec laquelle ces mouvements et ces lois rendent compte des phénomènes périodiques constatés par l'observation.

C'est ainsi que le mouvement des planètes autour du Soleil, suivant les lois découvertes par

Képler, combiné avec un pareil mouvement de
la Terre, nous a donné la clef des stations et rétrogradations apparentes des planètes.

De même, l'alternative du jour et de la nuit
nous est expliquée par un mouvement uniforme
de rotation de notre globe autour de son axe.

Mais combien de phénomènes, en apparence
fort complexes, restent encore inexpliqués !
Pourquoi l'aspect du Ciel étoilé varie-t-il d'une
saison à l'autre ? Comment se fait-il que les
jours et les nuits ne sont pas égaux pendant le
cours de l'année dans un même lieu, et pourquoi leur durée n'est-elle point la même au
même instant pour tous les lieux de la Terre ?
Enfin quelle est la cause astronomique et physique de l'alternance des saisons ?

Il n'est personne qui n'ait à ce sujet des notions plus ou moins vagues, et qui ne relie dans
sa pensée ces phénomènes avec le double mouvement de la Terre. Mais de là, à saisir et à montrer nettement en quoi consiste cette liaison, il
y a souvent plus d'un pas. Voilà pourquoi je me
propose, dans cette causerie, de faire voir à
mes lecteurs comment trois faits suffisent à la
complète intelligence des variations dont il s'a-

git. Ces trois faits, déjà connus, mais sur lesquels j'insiste encore, sont :

Le mouvement uniforme de rotation de la Terre autour de son axe ;

Le mouvement varié de translation annuelle autour du Soleil ;

Enfin le parallélisme constant de l'axe de la Terre dans ce double mouvement.

On trouvera peut-être notre station sur la Terre un peu prolongée, et le désir de visiter des régions inconnues ajoutera sans doute à l'impatience où l'on est de sortir de l'aridité de ces détails ; mais qu'on veuille bien réfléchir à ceci : rien n'est plus fastidieux, plus vide, que le voyage d'un touriste frivole qui ne sait observer que la superficie des choses et ne tire aucun fruit de ses pérégrinations.

Mais avais-je besoin de cette justification auprès de mes lecteurs ?

Avant d'aborder la solution que je viens d'annoncer, il est à propos de répondre à une objection qu'on n'aura pas manqué de faire. Pourquoi, dans la causerie précédente, avonsnous reconnu que le nombre des rotations entières accomplies dans le cours d'une année est de trois cent soixante-six, tandis que tout le monde, d'accord avec l'almanach, ne compte que trois cent soixante-cinq jours dans la même période ? Laissons de côté les fractions, qui n'ôtent ni n'ajoutent rien à la difficulté.

Je rappelle d'abord la définition de l'année :

L'*Année* est l'intervalle de temps qui s'écoule entre deux passages consécutifs de la Terre en un même point de son orbite. A ces deux positions extrêmes, le centre du Soleil paraît occuper le même point du Ciel, ou, si l'on veut, coïncider avec la même Etoile.

Maintenant n'est-il pas vrai qu'une rotation terrestre est complète, est entière, lorsque, partant d'une coïncidence particulière avec une étoile, un plan méridien décrit une circonférence autour de l'axe et revient coïncider une seconde fois avec la même étoile ? Ces deux passages successifs au même méridien donnent, par leur intervalle, la vraie durée d'une rotation entière, parce que la distance où la Terre se trouve de l'étoile est pour ainsi dire infinie par rapport à l'arc de son orbite parcouru pendant ce temps. Ainsi mesurée, cette durée est la même que si la terre était restée immobile dans l'espace.

Mais il n'en eût pas été de même, si le centre du Soleil avait été pris pour point de repère, ce qui doit être lorsque, au lieu d'avoir la durée du jour *sidéral*, on veut avoir la durée du jour *solaire*.

En effet, le mouvement de translation annuelle s'effectuant autour du centre du Soleil, il arrive que pendant la durée d'une rotation, la Terre s'est déplacée, a parcouru un certain arc de son orbite. Or, pour nous autres observateurs placés sur le corps mobile, c'est le Soleil qui aura semblé se déplacer sur le fond du ciel ; de sorte que, si, au début de la rotation, le centre du Soleil se trouve avec l'étoile dans le plan méridien, il n'en sera plus de même à la fin de la période ; ce centre aura semblé rétrograder et reviendra dans ce plan, plus tard que l'étoile même. Ainsi, il faut un peu plus d'une rotation de la Terre autour de son axe pour accomplir le jour *solaire,* dont la durée est par conséquent plus grande que celle du jour *sidéral.*

A la période suivante, même retard, et ainsi successivement. Le Soleil se trouvera de plus en plus en retard sur l'Etoile, jusqu'à ce que la

Terre, revenant au même point de son orbite, au bout d'une année, les choses se retrouvent précisément au même état qu'au point de départ. Mais alors, n'est-il pas de toute évidence qu'il y aura eu, en tout, une coïncidence de moins du plan méridien avec le Soleil qu'avec l'étoile ; ou, ce qui revient au même, une différence d'une unité entre le nombre de jours solaires et le nombre de jours sidéraux ?

Ainsi, vous voyez que s'il y a, dans une année, 365 retours du Soleil au méridien ou 365 jours solaires, il y a 366 rotations de la Terre sur son axe ou 366 jours sidéraux (1).

Pour la commodité des relations civiles, c'est le jour solaire qui sert de mesure au temps. Mais comme la vitesse de la Terre sur son orbite est variable, les jours solaires ne sont pas rigoureusement égaux entre eux : aussi a-t-on formé un jour fictif, qu'on nomme jour *moyen*, parce que sa durée est une moyenne entre cel-

---

(1) La différence entre la durée du jour sidéral et celle du jour solaire, est d'environ 4 minutes exprimées en heures solaires. C'est ce qu'on a vu dans la 10ᵐᵉ causerie, En effet, 365 fois 4 minutes font 1460 minutes, et le jour solaire en contient 1440. La différence dont il s'agit est donc un peu moindre que 4 minutes.

les des jours solaires qui composent l'année.
Les horloges, montres, pendules sont réglées
sur le midi du jour moyen ; il en résulte qu'une
horloge bien réglée ne doit pas, en général,
marcher avec le Soleil.

Revenons maintenant au phénomène de variation que présente le ciel étoilé, à diverses
époques de l'année.

Tout le monde sait qu'en examinant le ciel à
une même heure de la nuit, mais à un, deux
ou trois mois d'intervalle, les constellations dont
il est parsemé n'occupent plus les même positions, bien qu'elles conservent entre elles les
mêmes distances relatives. Bien mieux : les
unes ont disparu, tandis que d'autres, invisibles
d'abord, seront devenues visibles au-dessus de
l'horizon.

C'est encore là un fait qui est intimement lié
au mouvement de la Terre.

Par cela même, en effet, que d'un jour à l'autre, — ainsi qu'on vient de le voir, — la position du Soleil ne correspond plus au même
point du ciel, la partie diamétralement opposée
à cet astre, c'est-à-dire celle que l'obscurité de
la nuit rend visible à nos yeux, changera en

sens inverse. A fur et mesure des déplacements de la Terre le long de son orbite, les constellations variées de la voûte céleste viendront passer sous les yeux de l'observateur, jusqu'à ce qu'une révolution annuelle entière s'étant écoulée, il ait eu le spectacle entier de la portion du ciel visible au-dessus de son horizon.

Aux pôles, où la durée de la nuit est de six mois, c'est un hémisphère entier qui tourne ainsi parallèlement à l'horizon, en se déplaçant progressivement et d'une manière continue. A supposer qu'un observateur pût vivre en ces régions éternellement glacées, s'il notait les jours par périodes de vingt-quatre heures solaires écoulées, il verrait les étoiles parcourir, en sus de la circonférence décrite en vertu de la rotation du globe, un certain arc provenant du déplacement de la Terre. Au bout de six mois, ces arcs accumulés donneraient une demi-circonférence.

A l'Equateur, c'est le ciel entier, toujours visible, qui présente successivement toutes ses parties dans le cours d'une année.

Enfin, dans les latitudes comprises entre l'Equateur et le Pôle, c'est plus d'un hémisphère céleste, mais moins de la sphère entière que la série annuelle des nuits offre aux regards de l'observateur.

J'engage ceux de mes lecteurs à qui les explications précédentes laisseraient encore dans l'esprit quelque obscurité, à ne pas craindre d'éclaircir par le témoignage des sens ce que les yeux de l'intelligence n'ont pu complétement saisir. Je ne sache pas que la science puisse déroger à devenir claire et accessible à tous.

Prenez donc une boule d'une dimension quelconque que vous ferez mouvoir autour d'une lumière représentant le Soleil ; les parois de la pièce, supposée sphérique, où vous vous trouvez, seront les diverses faces de la voûte céleste ; le mouvement de rotation que vous imprimerez à la boule terrestre tiendra lieu du mouvement diurne, et ses deux moitiés, éclairées et obscures, seront les hémisphères de notre globe en possession du jour et de la nuit. Inclinez l'axe de rotation sur le plan de la courbe idéale décrite autour du Soleil, et vous aurez la représentation fidèle des phénomènes que je viens de passer en revue ; cette mise en

scène ne sera pas moins utile à la claire intelligence de ceux qui vont suivre.

Voyons d'abord comment il arrive, pour un
même lieu de la Terre, que les nuits ne sont
pas de même durée que les jours (1).

Notez un point sur le globe que vous avez
choisi : prenez-le partout ailleurs qu'aux deux
pôles, ou que sur le cercle équidistant désigné
sous le nom d'équateur. Faites tourner la boule
sur elle-même, mais en la laissant d'abord immobile au même point de l'espace : vous devez
remarquer une inégalité évidente entre les deux
arcs, parcourus par le lieu que vous avez déterminé, l'un dans la lumière et l'autre dans
l'ombre. Et déjà vous pouvez comprendre
qu'en général le jour et la nuit ne sont pas é-
gaux. Mais pour que cette première expérience
soit décisive, n'oubliez pas un point important :
c'est que l'axe de rotation soit incliné sur le

(1) Le mot *jour*, en astronomie, comme dans la
langue usuelle, désigne aussi bien les périodes de
vingt-quatre heures que le temps pendant lequel le
Soleil reste au-dessus de l'horizon. Il y a là un vice
de langage qu'il ne m'appartient pas de détruire :
mais le lecteur saura failement se prémunir contre
la confusion qui pourrait en résulter.

plan de l'orbite, de manière à faire avec ce plan les trois quarts d'un angle droit.

Faites maintenant mouvoir votre sphère d'une manière continue autour de la lumière-soleil, de façon à décrire à peu près un cercle. Vous arriverez à une position telle que le cercle de séparation de la lumière et de l'ombre passera par les deux pôles. Ce moment est celui de l'équinoxe.

Arrêtez le mouvement de translation, et considérez la Terre dans cette importante situation (1). En lui faisant exécuter une rotation entière, vous remarquerez que les arcs de lumière, ou le jour, sont de même grandeur que les arcs d'ombre, ou de nuit ; et cela, pour quelque point de la Terre que vous fassiez l'observation.

Les jours sont donc à cette époque égaux aux nuits par toute la Terre : de là cette dénomination d'*Equinoxe*.

(1) Je dirai ici, pour ceux qui ne redoutent point la géométrie, que le plan de l'équateur et le plan de l'orbite terrestre ou écliptique se coupent suivant une ligne droite qui reste toujours parallèle à la même direction ; au moment de l'équinoxe, cette ligne passe précisément par le Soleil.

Ce sera l'Equinoxe du printemps, si, la moitié supérieure de votre boule représentant l'hémisphère nord de la Terre et le mouvement de translation ayant lieu d'Occident en Orient à partir de la position que vous venez de préciser, si dis-je, vous voyez peu à peu le pôle nord envahi par le Soleil, tandis que le pôle sud est de plus en plus plongé dans l'ombre. L'équinoxe est le point de départ de l'année astronomique.

Faites alors décrire à la Terre un quart de sa révolution totale ; vous voyez le pôle nord de plus en plus dépassé par la lumière qui éclaire alors d'une manière constante les régions boréales, tandis que le pôle sud et les régions australes restent dans la nuit. Les jours vont en croissant dans l'hémisphère nord, et les nuits diminuent : le contraire arrive pour l'hémisphère méridional.

C'est à la fin de cette période que le jour atteint sa plus longue durée, vers le 20 juin, jour de solstice d'été. Inutile de dire que c'est aussi l'époque de la nuit la plus courte, comme aussi c'est le jour le plus court et la nuit la plus longue pour l'autre moitié de la Terre.

Si maintenant vous faites parcourir à la Terre le second quart de son orbite, les mêmes phénomènes se présenteront en sens inverse, de sorte que, moitié de la course annuelle étant achevée, on aura un nouvel équinoxe, l'équinoxe d'automne.

Puis, dans la seconde moitié de l'orbite, vous verrez se reproduire dans le même ordre la même succession de jours et de nuits : seulement l'hémisphère nord aura pris la place de l'hémisphère sud et réciproquement.

Les deux Equinoxes du Printemps et d'Automne, et les deux solstices d'Eté et d'Hiver divisent l'année en quatre périodes ou saisons, de durées inégales, parce que les arcs de l'Ecliptique parcourus par la Terre avec des vitesses variables sont eux-mêmes inégaux.

Avant de dire un mot des variations de température qui correspondent à ces périodes, j'insiste sur quelques particularités des phénomènes qui précèdent.

Pendant les six mois qui séparent les deux époques équinoxiales, l'un des pôles est sans cesse éclairé par le Soleil ; le pôle opposé est au contraire continuellement dans l'ombre,

Comprend-on maintenant qu'il y ait sur la Terre des jours et des nuits de six mois ? Dans les régions voisines des pôles, on trouve pour les jours et les nuits toutes les durées intermédiaires entre six mois et 24 heures. Enfin, pendant toute cette période, l'équateur n'a pas cessé d'être partagé en deux parties égales par la ligne de séparation de l'ombre et de la lumière : le jour, dans les contrées équatoriales, est toujours égal à la nuit.

Si l'on compare deux points du globe, inégalement distants de l'équateur et appartenant tous deux au même hémisphère, on constatera que l'inégalité entre leurs jours et leurs nuits, à une époque quelconque, est plus considérable pour le lieu le plus voisin du pôle.

Une certaine zône, située de part et d'autre de l'équateur, comprend les lieux de la Terre qui ont, à un ou deux jours particuliers, le Soleil à leur zénith. Ces jours-là, à midi, les rayons de cet astre tombent perpendiculairement sur le sol, et une tige verticale ne donne pas d'ombre. L'ensemble des régions chez lesquelles a lieu ce phénomène a reçu, comme on sait, le nom de zone torride ou tropicale.

Deux zones tempérées situées de part et d'autre de celle-ci, dont elles sont séparées par les tropiques, vont s'étendre jusqu'aux cercles polaires, c'est-à-dire jusqu'à la limite des régions voisines du pôle où les jours et les nuits atteignent et dépassent des durées de vingt-quatre heures.

Cinq zônes partagent ainsi la Terre en parties d'inégales surfaces, et pour lesquelles il est aisé de comprendre que les variations de température sont extrêmement différentes (1).

Il me resterait à dire pourquoi et comment les quatre périodes astronomiques sont en même temps des périodes climatériques bien distinctes. Mais les variations de température à la surface du globe, tiennent à des causes si diverses que le sujet est au moins autant du domaine de la météorologie et de la physique que celui de l'Astronomie. Toutefois, je ferai remarquer :

(1) La zone torride embrasse environ les 40 centièmes de la surface du globe ; les deux zones tempérées en forment les 52 centièmes, et les deux zones glaciales les 8 centièmes. De sorte que, abstraction faite de la répartition des continents et des mers, ce sont les zones habitables qui sont de beaucoup les plus considérables en étendue.

Que le printemps et l'été, bien que d'égale durée, à peu près, et offrant les mêmes circonstances astronomiques, présentent néanmoins des températures bien différentes ; qu'il en est de même de l'automne et de l'hiver. Mais ces différences s'expliquent par ce fait, que la chaleur accumulée par la Terre pendant le printemps s'ajoute à celle que rayonne le Soleil pendant l'été, tandis qu'en hiver la diminution de température arrive au moment où la Terre s'est déjà refroidie dans la période automnale.

Il en résulte que le maximum de température, au lieu de coïncider avec le jour du solstice d'été, n'arrive qu'au milieu de juillet, à Paris, par exemple. Et le maximum de froid a lieu vers le milieu de janvier, et non pas au solstice d'hiver, ainsi qu'on aurait pu le croire d'abord.

Le contraire arrive dans l'hémisphère sud de la Terre.

L'hémisphère nord est plus éloigné du Soleil pendant les saisons de printemps et d'été que pendant l'automne et l'hiver. La différence de distance est de près de 1,300,000 lieues. Il semble dès lors que, la chaleur reçue étant plus considérable dans les deux dernières saisons, elles devraient être les saisons les plus chaudes. Mais qu'on se reporte aux expériences faites tout à l'heure, et l'on verra que les rayons du soleil en automne et en hiver traversent obliquement les couches atmosphériques, par suite une plus grande épaisseur, tandis qu'au printemps comme en été, ces rayons arrivent de plus en plus perpendiculairement à la surface du sol. L'absorption de chaleur est, dans ce dernier cas, beaucoup plus considérable, et cette circonstance suffit pour compenser et au delà l'accroissement de distance. En outre, les jours étant plus longs que les nuits pendant les saisons de printemps et d'été, le sol et l'atmosphère reçoivent du Soleil plus de chaleur qu'ils n'en perdent par le rayonnement de la nuit. Le contraire arrive en hiver et en automne, où les nuits sont de plus longue durée que les jours.

La même raison s'ajoute à la plus grande proximité du Soleil pour rendre plus chaudes les saisons que les habitants de l'hémisphère boréal appellent automne et hiver, mais qui sont, pour l'autre moitié du globe, le printemps et l'été. Il est vrai que par compensation, ces deux saisons sont plus courtes que les deux autres ; et en somme, les quantités de chaleur reçues pendant l'année par chaque hémisphère, sont, à fort peu de chose près, égales.

Je me borne à ces notions générales sur les saisons considérées au point de vue de la température, parce qu'elles suffisent à établir la liaison qui existe entre ces phénomènes et le double mouvement de la Terre.

DOUZIÈME CAUSERIE.

Précession des Equinoxes et Nutation.

Outre les deux mouvements de révolution et de rotation de la Terre, dont la simultanéité produit les alternatives du jour et de la nuit et des saisons, il est encore deux autres mouvements qui nous sont bien moins familiers parce qu'ils s'exécutent avec une extrême lenteur et n'apportent qu'à la longue des modifications sensibles à la situation du globe dans l'espace. Ces deux mouvements, connus en Astronomie sous les noms de précession des Equinoxes et de nutation, se rattachent d'une façon trop directe à la grande théorie de l'attraction universelle pour ne pas mériter au moins une mention.

Je vais donc essayer d'en donner une idée.

Une année, avons-nous dit, est accomplie quand la Terre a parcouru la totalité de son orbite. Comme, astronomiquement parlant, c'est l'équinoxe du printemps qui est l'origine de l'année, on dit encore que l'année est l'intervalle de temps qui s'écoule entre deux passages consécutifs de la Terre au même équinoxe.

Ces deux définitions sont-elles complétement identiques? Non. Et la raison en est que l'équinoxe, celui du printemps, par exemple, n'est pas un point fixe sur la courbe de l'Ecliptique que décrit la Terre. D'une année à l'autre, les points équinoxiaux rétrogradent, quand on compare leur position avec le sens du mouvement de translation.

Dire que le point équinoxial rétrograde, c'est évidemment dire que la Terre revient à l'équinoxe plus tôt qu'elle ne l'eût fait sans cette rétrogradation. L'époque réelle du retour à l'équinoxe précède donc celle qu'on aurait dû constater, dans le cas où ce point fût resté fixe sur l'orbite de la Terre.

De là le nom de *précession des équinoxes*.

Voilà tantôt deux mille ans qu'Hipparque a découvert et mesuré ce phénomène, dont Newton a deviné la cause, et dont d'Alembert a donné le premier une théorie complète, perfectionnée plus tard par Laplace.

Avant d'expliquer par quelle sorte de mouvement réel est produit le mouvement de ce point idéal, je veux encore, pour plus de clarté, revenir sur la description du phénomène lui-même.

Rappelez-vous, je vous prie, ce que nous avons entendu par équinoxe. C'est le point qu'occupe la Terre, dans sa courbe elliptique autour du Soleil, lorsque le grand cercle de séparation d'ombre et de lumière passe précisément par les pôles, circonstance qui se présente deux fois chaque année. A ce moment, le plan de l'équateur — dont l'inclinaison sur l'écliptique n'a pas varié — coupe le plan de l'orbite terrestre suivant une ligne droite qui passe par le centre du Soleil.

S'il est vrai que l'axe de la Terre reste constamment parallèle à lui-même, il en sera de même du plan de l'équateur. Dès lors on conçoit que la ligne d'intersection dont nous venons de parler restant toujours parallèle à l'une de ses positions quelconques, reviendrait passer par le centre du Soleil, au bout d'une année précisément, en coupant l'écliptique au même point. Le point équinoxial n'aurait pas varié.

Or, il n'en est rien. Cette ligne, après une année accomplie, au lieu de coïncider avec sa position immédiatement antérieure, fait un angle avec cette position, angle très-petit, à la vérité. Elle coupe la courbe de l'orbite terrestre à l'orient de l'équinoxe précédent. Le nouveau point équinoxial a donc rétrogradé, c'est-à-dire a semblé marcher en sens inverse du mouvement de la Terre.

Il en résulte que la Terre revient à la position de l'équinoxe un peu plus tôt que si le parallélisme de l'axe terrestre, celui de l'équateur, et enfin celui de l'intersection avec l'écliptique, eussent été constants.

Que résulte-t-il de ce phénomène pour les observations célestes? C'est que peu à peu, le

Soleil correspond, pour une même époque de l'année, à des étoiles de plus en plus orientales, de sorte que les constellations successives qu'il semble parcourir dans l'intervalle d'un an, changent lentement de position par rapport à cet astre. Du temps d'Hipparque, le Soleil correspondait, le jour de l'équinoxe du printemps, à l'origine de la constellation du Bélier : aujourd'hui, il se trouve, à la même époque, dans la constellation des Poissons.

Au bout de 25,800 ans environ, l'équinoxe et par suite le Soleil ont parcouru successivement toutes les constellations du Zodiaque ; tout se retrouve alors comme au point de départ de cette immense période, à laquelle on donne quelquefois le nom de Grande Année.

Voyons maintenant de quelle manière s'opère en réalité ce mouvement.

Imaginez une ellipse à peu près circulaire représentant l'orbite terrestre. Par l'un des foyers, menez une ligne droite qui coupera en deux points diamétralement opposés la courbe tracée : l'un de ces points représentera l'équinoxe du printemps de l'année où nous sommes, par exemple. Appliquez maintenant le long de cette

11

ligne une feuille de carton inclinée sur le plan de la courbe, comme l'équateur terrestre l'est sur l'écliptique. Cette feuille de carton sera pour vous le plan de l'équateur terrestre, qui, prolongé, passe en effet par le Soleil le jour de l'équinoxe.

Faites tourner ce plan de manière qu'il passe toujours par le foyer ou Soleil. Mais ayez soin qu'il reste incliné de la même manière sur le plan de l'orbite. Enfin, supposez que vous ayez ainsi fait faire une révolution complète à la ligne qui joint le point équinoxial au foyer de la courbe, et cela dans l'intervalle de 25,800 ans.

N'est-il pas clair que l'axe de rotation de la Terre, qui reste constamment perpendiculaire au plan de l'équateur, aura, en même temps que ce dernier, subi un mouvement conique, de manière à percer la voûte céleste en des points situés sur une courbe à peu près circulaire ? D'où résulte une variation dans la position du pôle céleste, qui à la longue cesse de correspondre aux mêmes étoiles (1).

(1) En vertu de la précession des équinoxes, l'Etoile polaire, la plus brillante de la constellation de la Petite-Ourse, se rapprochera du pôle pendant plus de 200 ans, puis s'en éloignera. Dans 12,000 ans, c'est Wéga de la Lyre qui remplira la fonction d'Etoile polaire.

En résumé, le mouvement qui produit, pour la Terre, le phénomène de la précession des équinoxes, modifie les deux autres mouvements de translation et de rotation, en inclinant la direction de l'axe terrestre d'une façon qui a beaucoup d'analogie avec le tournoiement incliné d'une toupie. La comparaison n'est pas nouvelle, mais elle est vraie et peut rendre compte, d'une manière très-satisfaisante, des phénomènes dont je viens de vous entretenir.

Tout le monde, en effet, peut remarquer dans le mouvement de la toupie trois mouvements distincts : le premier est une rotation très-rapide sur son axe; le second une translation horizontale en vertu de laquelle elle décrit une certaine courbe sur le plan où elle se meut ; le troisième un balancement conique qui change progressivement, pendant la course du jouet mobile, la direction de son inclinaison sur le sol.

Pour que la comparaison ait toute sa justesse, il suffit de supposer que la toupie, de forme sphérique, tourne sur elle-même en 23 heures solaires 56 minutes, durée de la rotation terrestre ; que sa trajectoire sur le sol soit une courbe à peu près circulaire, qu'elle parcourt

en 365 jours un quart; enfin que le balancement de l'axe décrive le mouvement conique
entier en près de 26,000 années.

Mais l'idée que nous venons de nous former
maintenant du véritable mouvement de la Terre n'est pas encore tout à fait exacte.

Des trois mouvements de rotation, de révolution et de précession que je viens de décrire,
il résulterait que l'axe de la Terre aurait toujours sur le plan de l'orbite la même inclinaison. Cela n'est pas entièrement vrai. Tous les
18 ans environ, cet axe oscille autour d'une position moyenne et décrit ainsi dans le ciel une
petite courbe elliptique, de sorte qu'au lieu de
couper le ciel suivant un cercle en 26,000 ans,
cet axe décrit en réalité une série de petites
courbes qui s'enroulent autour de la circonférence de ce cercle.

C'est à ce mouvement, découvert par Bradley,
il y a 114 ans, qu'on donne le nom de *Nutation
de la Terre*.

La conséquence de la nutation, c'est que
l'axe terrestre, et par suite l'équateur, ne conservent pas une inclinaison constante sur le
plan de l'écliptique ; cette inclinaison varie périodiquement, dans des limites fort restreintes,

il est vrai, et qui n'affectent les mouvements de notre globe et la durée relative des jours et des nuits que d'une manière presque insensible, et, à coup sûr, inappréciable aux observations de la pratique vulgaire.

Telle est, dans son ensemble comme dans ses détails les plus importants, la description des mouvements de la Terre autour de l'Etoile centrale qui lui verse la chaleur et la lumière. La Terre, étant l'une des planètes que l'astre étincelant entraîne et maîtrise, est, comme toutes les planètes, soumise aux lois qui ont reçu le nom de lois de Képler, et dont j'ai plus haut donné les formules. J'y renvoie le lecteur.

Quant aux détails dans lesquels j'ai cru devoir entrer pour l'intelligence des phénomènes périodiques, de jour et de nuit, de saisons, d'année, ils serviront à comprendre les phénomènes analogues dont les autres corps planétaires sont doués comme notre globe. Seulement la durée de toutes ces périodes variera avec chacun de ces astres, ainsi qu'il est facile de le prévoir.

Mais, dans tout ce qui précède, il n'y a que des faits, des phénomènes divers, diversement liés par différentes lois. N'y a-t-il aucune corrélation entre toutes ces lois?

Telle est la question que plus d'un lecteur fera probablement, en lui donnant des formes différentes, suivant la nature et la tendance de son esprit. Les uns demanderont : Pourquoi tous ces mouvements ? quelle en est la cause ? ont-ils une même cause ?

Les autres diront : Toutes ces lois particulières sont-elles indépendantes, ou, au contraire, reliées à une loi plus générale dont elles ne sont que des cas singuliers ?

Tous, en parlant ainsi, accuseront l'irrésistible tendance de l'esprit humain vers la conception de l'unité.

L'astronomie est-elle aujourd'hui assez parfaite, assez achevée pour satisfaire intégralement le besoin intellectuel auquel nous faisons allusion ? Je ne le crois pas. Du moins les hypothèses qu'elle peut avancer comme les plus probables à cet égard, n'ont pas encore reçu la consécration d'une démonstration irréfutable.

Toutefois, l'œuvre est en bonne voie. Ce n'est pas dans les causeries familières que l'exposition en est possible. Les ouvrages de haute science peuvent seuls, avec l'auxiliaire du langage mathématique, entreprendre un tel exposé. On voudra donc bien user à mon égard de l'indulgence la plus large · en lisant la causerie qui va suivre, dans laquelle j'essaierai de donner une idée, aussi juste que les moyens le comportent, de l'attraction ou gravitation universelle.

C'est en effet à cette grande loi de l'attraction qu'il faut rattacher la majeure partie des phénomènes astronomiques.

TREIZIÈME CAUSERIE

De l'Attraction universelle.

La plupart de nos faux raisonnements, de nos jugements erronés proviennent soit d'un excès, soit d'un défaut de généralisation. Nous méconnaissons toute l'extension que peut et doit recevoir une loi ; ou bien, nous étendons au delà de ses bornes légitimes l'application d'une vérité de fait ou de principe.

Rien n'est plus propre à faire comprendre l'exactitude de l'observation précédente que l'histoire de la découverte du vrai système du monde, dont les lois se rattachent avec une

précision inespérée au grand principe newto-
nien de l'Attraction universelle.

Pendant combien de temps la croyance aux
antipodes fut-elle une idée absurde ? « Comment ne voyez-vous pas, dit saint Augustin,
que s'il y avait des hommes sous nos pieds, ils
auraient la tête en bas, et tomberaient dans le
ciel. » L'ignorance de la cause de la chute des
corps à la surface de la Terre faisait divaguer
l'évêque d'Hippone. Une fausse généralisation
l'induisait en erreur.

Mais si, mieux instruits sur la forme du globe
terrestre, sur les lois de la pesanteur, nous
trouvons aujourd'hui très-simple, très-naturel,
de voir tomber les corps, dans chaque lieu,
suivant une verticale dirigée vers le centre de
la Terre, combien ne sommes-nous pas éton-
nés de voir suspendue dans l'espace, sans sou-
tien matériel, une masse, une agglomération
quelconque de matière ! Pourquoi, nous de-
mandons-nous, la Lune ne tombe-t-elle pas sur
le globe terrestre ? Pourquoi le Soleil semble-
t-il se balancer dans les airs ? Quelle cause
empêche les Etoiles de pleuvoir sur le sol, s'il
est vrai, comme le croient et l'affirment tous

les astronomes, que ces astres soient des corps pesants? En effet, la pesanteur, pour nous autres habitants de la Terre ne peut être que la cause dont l'action précipite à la surface tous les corps qui ne sont pas soutenus. Quand je dis *nous* ici, j'entends parler des esprits non prévenus, non avertis encore par des études scientifiques préalables.

Là encore, c'est une fausse généralisation de l'idée de pesanteur et de chute qui cause notre étonnement. Il a fallu, pour nous élever à la connaissance raisonnée de l'équilibre des mondes, que le génie de Newton et de ses successeurs rectifiât nos idées sur les phénomènes de pesanteur et dévoilât leur corrélation avec les lois qui régissent les mouvements des corps célestes.

Les trois lois trouvées par Képler, soixante ans avant les travaux du géomètre anglais, furent la base de ses travaux et le point de départ de sa découverte. C'est en cherchant quelle force peut faire dévier sans cesse de la ligne droite la direction du mouvement des planètes dans l'espace et donner lieu à une orbite elliptique dont le Soleil est un foyer, qu'il reconnut que cette force est dirigée vers le centre de cet astre, agissant sur la planète comme une force *attractive* émanant du Soleil.

Mais la loi des aires et celle de la forme elliptique des orbites, combinées et analysées d'après les principes de la mécanique en suivant les lois mathématiques, conduisirent Newton à cette seconde conséquence : Que la force attractive varie avec la distance, mais non pas dans un simple rapport de proportionnalité, comme le crut Képler. Cette attraction devient quatre fois plus petite, à une distance double, neuf fois moindre, à une distance triple, 16 fois, 25 fois....... cent fois moindre à des distances quadruples, quintuples....... décuples ; de sorte que, lorsque les distances augmentent proportionnellement à la série des nombres, l'attraction diminue au contraire suivant la série de leurs carrés (1).

La troisième loi de Képler, celle qui relie les temps des révolutions planétaires aux moyennes distances des astres du Soleil, lui

_____

(1) On voit par les exemples qui précèdent que le carré d'un nombre est, par définition, le produit de ce nombre par lui-même.

permit de démontrer cette proposition, que l'attraction solaire agirait avec une égale énergie sur toutes les planètes, quelle que soit la nature de leurs masses, si on les supposait placées à égale distance du centre du Soleil.

Mais quelle est la nature de cette force centrale, dont l'existence est dévoilée par les lois mêmes du mouvement ?

Telle est la question que le grand géomètre sut résoudre, en s'élevant par une généralisation hardie à la conception de la loi la plus générale qui régisse les phénomènes de l'univers.

L'attraction solaire n'est autre que la pesanteur. De sorte que la même force qui précipite à la surface de la terre les corps non soutenus et qui cause la pression, exercée par chacun d'eux, qu'on nomme leur poids, est celle qui retient les planètes dans leurs orbites.

Et comme la mécanique apprend que toute action exercée par un corps matériel sur un autre est nécessairement accompagnée d'une réaction égale et de sens contraire, il s'ensuit que si la Terre et les planètes pèsent sur le Soleil, le Soleil pèse à son tour sur chacune des pla-

nètes. De même celles-ci pèsent vers leurs satellites, et réciproquement. En résumé, toute
molécule de matière attire toute autre molécule en raison de sa propre masse, et réciproquement au carré de sa distance à la molécule
attirée.

Tel est le grand principe de l'Attraction ou
Gravitation universelle, que Newton mit hors
de doute en comparant le mouvement de la
Lune à celui d'un corps qui tombe à la surface de la Terre.

Si la Lune n'était soumise qu'à l'action d'une
force, elle se mouvrait en ligne droite, en suivant l'impulsion de cet agent mécanique. Mais
elle décrit une courbe : c'est donc qu'une autre force la fait sans cesse dévier de sa direction
première. Cette force, avons-nous dit, Newton
démontre qu'elle est dirigée vers le centre de
la Terre, qu'elle décroît en raison inverse du
carré de la distance. Or il en est de même de
la pesanteur, ainsi que le constatent les expériences faites à la surface de la Terre à mesure qu'en s'élevant on s'éloigne de ce centre.
Tout portait donc l'astronome mathématicien à
vérifier si c'est la pesanteur elle-même qui maîtrise la Lune et la retient dans son orbite.

Il calcula, d'après les observations du mouvement lunaire, de combien le satellite terrestre tombe en une seconde, en mesurant cette chute dans la direction de la verticale du point de départ. Puis, comparant cette quantité avec celle que mesurerait la chute d'un corps reculé à la distance de la Lune, il constata l'identité parfaite des deux résultats. C'est en 1682 que la science s'enrichit de cette découverte capitale, qui conduisit successivement aux plus magnifiques résultats.

La précession des équinoxes, la nutation de l'axe de la Terre, le phénomène du flux et du reflux ou des marées, les mouvements de la Lune en libration, toutes les perturbations ou irrégularités périodiques et séculaires des planètes vinrent successivement, sous l'effort des analystes, trouver leur explication naturelle dans la théorie de l'attraction universelle.

C'est l'action du Soleil sur la partie renflée du globe terrestre qui produit le mouvement de précession décrit dans la causerie précédente ; c'est l'action de la Lune qui produit le mouvement de nutation. D'Alembert, aussi célèbre comme libre penseur que comme géomètre, et dont le nom mérite de devenir vraiment populaire, a rattaché ces deux perturbations du mouvement de la Terre à la loi de l'attraction universelle. Laplace a perfectionné et complété les démonstrations de D'Alembert.

Ce n'est pas, on doit le comprendre, dans une série de causeries familières sans prétentions scientifiques, qu'il est possible de développer les conséquences de la plus grande des découvertes de la science moderne. C'est l'affaire de l'analyse mathématique, qui n'a pas trop, pour cette tâche, de toutes ses ressources, de tous les progrès accomplis dans les deux derniers siècles.

Mais il est permis néanmoins d'en exposer les résultats, de faire saisir leur liaisons avec les principes, et de donner quelques idées justes sur les points fondamentaux de ce vaste et magnifique système.

Je ne veux donc pas terminer cette courte revue des travaux de l'astronomie moderne, sans chercher à faire comprendre la possibilité de la solution d'une question qui paraît au moins fort extraordinaire à la plupart des personnes étrangères aux sciences mathématiques.

Je veux parler de l'évaluation des masses, des poids des corps célestes.

Combien pèse le Soleil, par exemple ? Quelle est la densité moyenne de la substance qui le compose ?

Voilà des questions qui paraîtront bien indiscrètes sans doute. Affirmer qu'elles sont résolues ne ferait guère qu'exciter sur les lèvres un sourire d'incrédulité, s'il n'était possible tout au moins de faire voir comment leur solution est une conséquence de la découverte de la Gravitation universelle.

C'est ce que je vais essayer.

Je rappelle d'abord ce principe que l'intensité de la pesanteur est proportionnelle à la masse du corps attirant. De sorte que, si à une même distance, deux corps différents en attirent d'autres avec une égale énergie, c'est que les masses de ces deux corps sont égales.

Si l'attraction de l'un agit avec une énergie double, triple... décuple, c'est que sa masse est double, triple...... décuple de la masse de l'autre.

Il importe peu, pour cette comparaison, que les corps attirés soient ou non les mêmes, que leur matière soit ou non de même nature. La condition essentielle est seulement, que les corps attirants agissent à une même distance, ou, ce qui revient au même, que l'on compare leur action, en la réduisant de part et d'autre à une distance commune.

Appliquons ces principes à la détermination de la masse du Soleil. Cherchons combien cette masse vaut de fois la masse de la Terre.

Il faut, pour cela, venons-nous de dire, comparer l'énergie attractive de la Terre, à l'énergie attractive du Soleil, et cela pour une même distance.

L'attraction de la Terre nous est connue. Elle est mesurée à sa surface par l'espace que parcourt, dans l'intervalle d'une seconde, un corps tombant librement dans le vide. Mais comme Newton a démontré que l'attraction d'une sphère s'exerce sur les corps extérieurs comme si toute la masse était réunie au centre, il en résulte que le corps qui tombe à la surface de la Terre est à une distance du centre d'attraction marquée par la longueur du rayon terrestre.

Ainsi, premier point : l'attraction de la Terre fait tomber un corps de 4 mètres 9 dixièmes, en une seconde, à une distance de 1591 lieues, mettons 1600 lieues en nombre rond.

Voyons s'il est possible de mesurer l'énergie attractive du Soleil par la chute, en une seconde, d'un corps tombant sur cet astre, de la même distance.

La loi de l'Attraction universelle nous dit que les planètes, et par suite la Terre, pèsent sur le Soleil, que leur chute, contrebalancée par une vitesse d'impulsion dirigée tangentiellement à leurs orbites, se combine avec ce mouvement pour produire le mouvement elliptique constaté ; que dès lors il est facile de calculer la quantité de cette chute dans un temps donné, dans une seconde, par exemple.

On peut donc savoir de combien la Terre, en une seconde, tombe vers le centre du Soleil, à la distance moyenne de 38 millions de lieues. Une fois trouvé ce nombre de mètres, un calcul facile en déduira la chute à une distance du centre de 1600 lieues.

On trouve environ 1740000 mètres (1). Ce

(1) L'attraction du Soleil, à sa surface, est bien loin d'être représentée par le nombre que je viens de

nombre est 354936 fois aussi grand que 4 mètres 9 décimètres.

Comme les masses sont proportionnelles aux énergies attractives, on en conclut que le Soleil a une masse 354936 fois aussi grande que la masse de la Terre ; ou si l'on veut, qu'il faudrait 354936 globes du poids du globe terrestre pour équilibrer le poids du Soleil.

Le même problème se résoudra de la même manière pour toute planète ayant un satellite, c'est-à-dire pour Jupiter, Saturne, Uranus et Neptune. Le satellite sert à mesurer, par la connaissance de son mouvement, la chute à la surface de la planète ; le mouvement de révolution de cette dernière fait connaître la chute sur le Soleil. Ces éléments suffisent, ainsi qu'on vient de le voir, à la détermination des masses.

Enfin, les masses des planètes, dépourvues de satellites ont pu être mesurées par les perturbations qu'éprouvent leurs mouvements

transcrire. Quand on le réduit suivant la loi du carré des distances, on trouve que l'intensité de la pesanteur sur le globe solaire, n'est plus guère que 28 fois l'intensité de la même force. à la surface de la Terre. Un litre d'eau pèserait donc environ 28 kilogrammes sur le Soleil. Les corps y tombent avec une vitesse 28 fois plus grande.

sous l'action des différents corps du système solaire.

Je donne ici les nombres qui mesurent les différentes masses des planètes, de la Lune et du Soleil, comparées à la masse de la Terre, prise pour unité :

Mercure 0,077 ou $\frac{1}{13}$	Saturne	101,0	
Vénus 0,09	Uranus	15,0	
La Terre 1,0	Neptune	21,0	
Mars 0,125 ou $\frac{1}{8}$	Le Soleil 354936,0		
Jupiter 338,0	La lune 0,011 ou $\frac{1}{88}$		

La gravitation universelle n'est pas une loi particulière au système solaire. Les observations des étoiles doubles, ont démontré — comme je l'ai remarqué déjà dans une de nos premières causeries — que cette force régit aussi les mouvements des étoiles composantes. Dès lors, on conçoit quelle doit être, dans l'harmonie générale de l'univers, l'action de cette force accumulée dans les masses nébuleuses, c'est-à-dire dans les systèmes composés de millions d'étoiles. Connaîtra-t-on jamais quelle part, même approximative, on doit assigner, dans cette action et réaction universelle, aux mondes avec lesquels nous sommes en relation par la vue simple ou par la puissance des instruments d'optique ?

Déjà, on a pu conjecturer que le centre d'attraction qui entraîne tout notre système planétaire, n'est autre qu'un certain groupe d'une apparence nébuleuse, mais où le télescope a permis de séparer et de compter plus de 14 mille étoiles.

Enfin l'attraction s'exerce aussi dans les nébuleuses irréductibles, dans ces agglomérations de matière diffuse, où l'on voit déjà se former des centres d'attraction qui peut-être, dans la suite des siècles, deviendront, par la concentration de la lumière et de la chaleur, des foyers de mouvement et de vie, de vrais soleils.

Tel est, en résumé, l'exposé très-succinct de la théorie de la gravitation universelle. Telles sont les admirables conséquences qu'on en a pu déduire pour l'explication rationnelle des mouvements du système planétaire.

Il ne reste plus, pour l'achèvement de cette œuvre colossale, que des perfectionnements de détails auxquels l'observation devra prendre une part égale à celle des sciences mathémati-

ques. La mécanique céleste sera ainsi terminée. Mais ce n'est point là toute l'astronomie.
L'organique céleste, ou la partie de la science
qui traitera de la genèse des mondes, de leur
formation, de leurs transformations successives, est à peine ébauchée. L'étude de la constitution physique de notre monde solaire laisse
aussi beaucoup à désirer.

Il y a donc matière encore, dans la science,
à de curieux et importants travaux. Pourquoi
l'esprit d'initiative, en France et ailleurs, est-il
si restreint, lorsqu'il s'agit d'entreprises aussi
glorieuses, et dont les résultats intéressent si
fort les progrès des connaissances humaines ?
Pourquoi la richesse est-elle si cupide, ou si
peu intelligente, qu'elle recule devant l'emploi
de ses capitaux pour une œuvre aussi belle que
le perfectionnement des connaissances astronomiques ? C'est ce que je n'ai pas à examiner
ici ; c'est un soin que je laisse volontiers au lecteur.

QUATORZIÈME CAUSERIE.

La Lune. — Son mouvement autour de la Terre et ses phases. — Sa rotation. — Idée générale de sa constitution physique.

Connaissez-vous au Ciel un astre, qui, à tort ou à raison, en bien ou en mal, ait autant fait causer de lui que la Lune? Influences bénignes et malignes, bonnes et mauvaises récoltes, épidémies affreuses et merveilleuses guérisons, rapports mystérieux entre ses phases et les périodes des maladies cutanées, tout ce que l'imagination et la folie humaine ont pu inventer de bizarre, d'excentrique, de chimérique, d'occulte, de mystique, de fantasmagorique, tout a été mis sur le compte de la Lune. Jamais, de

12

mémoire d'astronome, ou plutôt d'astrologue, astre ne fut tant calomnié et glorifié.

Aujourd'hui encore, il n'est sorte de pouvoir, d'influence qu'on n'attribue à notre satellite. Le temps est-il pluvieux? c'est la mauvaise Lune? Change-t-il et passe-t-il au beau ? c'est la nouvelle Lune? L'amélioration tarde-t-elle de quelques jours? c'est le premier quartier.

Je ne sais trop ce qu'il y a de faux ou de vrai dans ces vertus physiques ou métaphysiques. J'admire seulement, que ceux qui en pareille matière affirment le plus, sont précisément ceux qui ont étudié ou observé le moins.

Prenons à ce sujet le parti le plus sûr, celui du doute, et laissons ceux qui font métier de science, tirer au clair celles de ces questions qui méritent examen.

Puis, pour nous distraire du long séjour que nous venons de faire sur notre monde, et de l'étude de tous ses mouvements ; pour sortir un peu des abstractions que la théorie de l'Attraction universelle nous a forcés d'aborder, mettons-nous en route pour la Lune.

Cette fois, ce n'est pas la distance qui nous embarrassera beaucoup.

Comme la Lune, prenant la Terre pour foyer de son mouvement, décrit aussi autour d'elle une courbe elliptique, c'est-à-dire ovale, il est pour elle deux positions extrêmes où sa distance à la Terre est la plus petite et la plus grande possible.

Eh bien, la distance minimum n'est que de 57 fois le rayon de la Terre, ou 90 mille 680 lieues environ, tandis que la distance maximum est de 101 mille lieues de 4 kilomètres. Encore, si l'on veut avoir la plus petite distance possible qui puisse séparer deux habitants placés à la surface des deux globes, faut-il retrancher des deux nombres précédents la somme des rayons de la Terre et de la Lune, puisque ces nombres expriment la distance des centres ; cette opération les réduit à 88,660 lieues pour la distance minimum, à 99,000 lieues pour la distance maximum.

Enfin, la distance moyenne est de 60 fois le rayon terrestre ou à peu près 95 mille 500 lieues de 4 kilomètres.

Ces distances ne sont, après tout, qu'une bagatelle : quelque chose comme huit à dix fois le tour de la Terre, que les chemins de fer et les lignes de paquebots permettent aujourd'hui de sillonner si facilement et si rapidement dans tous les sens. Avec nos moyens actuels de locomotion, ce serait l'affaire de moins d'une année.

La Terre, en voyageant dans son orbite, parcourt cette distance en moins de quatre heures.

Ainsi, vous le voyez, la difficulté n'est pas dans la distance, elle est toute dans les moyens de transport. Sera-t-elle un jour tranchée? Fontenelle, qui, dans ses *Entretiens sur la pluralité des Mondes*, laisse d'abord son interlocutrice sourire à l'idée de la possibilité d'un commerce entre notre globe et les habitants supposés de la Lune, raille ensuite avec l'esprit qu'on lui connaît la crédulité de la marquise. Puis il aborde les obstacles insurmontables, l'absence d'air à la surface de la Lune, ou du moins, si atmosphère il y a, la différence de constitution de l'air de la Lune et de l'air de la Terre : « Ces deux airs différents contribuent à « empêcher la communication des deux pla- « nètes..... Un habitant de la Lune qui serait « arrivé aux confins de notre monde, se noie- « rait dès qu'il entrerait dans notre air, et

« nous le verrions tomber mort sur la terre. »
Fontenelle ne dit pas comment nos voyageurs
s'accomoderaient, dans leur traversée aérienne,
de la rareté du milieu ambiant. Ou bien il ac-
corde qu'il y aurait moyen d'emmagasiner et
d'emporter une provision d'air respirable, ou
bien l'impossibilité du débarquement lui suffit.
Il est aujourd'hui bien des gens qui ne s'em-
barrassent pas pour si peu, et qui ne déses-
pèrent pas, j'en suis sûr, de faire tôt ou tard
le voyage de la Lune en train de plaisir, aller
et retour.

Il m'en coûterait, certes, de détruire leur es-
poir ; mais je ne veux pas terminer cette plai-
santerie sans faire part au lecteur d'une conséquence assez curieuse du mouvement simultané de la Terre et de la Lune.

On verra tout à l'heure que notre satellite
nous suit dans notre mouvement autour du Soleil, tout en décrivant son orbite autour de
nous. Dès lors, supposant qu'une expédition
quitte notre globe, sorte de notre atmosphère
et parvienne à vaincre l'influence attractive de la
masse terrestre, pour voguer à pleines voiles
vers notre satellite : que va-t-il arriver ? En

donnant à notre aérostat une vitesse double de celle dont nous disposons aujourd'hui, c'est encore, à 600 lieues par jour, un voyage de 5 mois au moins, pour arriver au sol lunaire. Mais pendant ce temps-là, notre Terre et la Lune à sa suite, ont parcouru quelque chose comme cent millions de lieues, abandonnant dans l'espace nos navigateurs, passablement ébahis et désappointés! Mais laissons là les chimères !

La Lune est pour nous, de tous les corps célestes, de beaucoup le plus proche (1). Il y a donc grandement à parier que de tous les mondes offerts chaque nuit à la curiosité humaine, c'est celui dont l'astronomie connaîtra le plus tôt la constitution intime, déjà en partie dévoilée.

Qu'on parvienne à obtenir, avec les grossissements donnés dès aujourd'hui par les instruments d'optique, une grande intensité lumineuse dans le champ de la lunette ou du téles-

(1) Vénus, qui est, de toutes les planètes, celle que son mouvement rapproche le plus de la Terre, en reste cependant séparée, à l'instant de la distance minimum, de 9,750,000 lieues. C'est environ dix fois l'intervalle de la Terre à la Lune.

cope ; qu'au lieu de la dispersion énorme de la lumière qu'un grossissement de 6,000 fois par exemple amène forcément toutes les fois qu'on observe un astre qui ne brille pas de sa lumière propre comme les plus éclatantes étoiles, mais qui rayonne de la lumière réfléchie, comme fait la Lune ; alors, au lieu d'une vision confuse, terne et vague, on aura une image à la fois très-détaillée et très-précise, on verra la Lune de la même façon qu'à l'horizon on observe des objets à 16 lieues de distance. Résultat merveilleux, qui nous révélera sans doute de curieux détails, mais que la science et l'art de l'opticien n'ont pu encore atteindre.

Le disque de la lune nous apparaît sous la forme d'un cercle dont la dimension apparente tantôt surpasse celle du disque solaire, tantôt lui est inférieure.

Ce disque participe au mouvement diurne, comme tout le reste du ciel ; mais, comme le Soleil, il a un mouvement rétrograde, dirigé d'Occident en Orient, et beaucoup plus rapide, puisque le retard quotidien du passage du centre de la Lune au méridien est de plus de trois quarts d'heure. Or, nous avons vu que celui du

Soleil n'est que de 4 minutes, treize fois moindre que celui de la Lune.

Ce mouvement de rétrogradation indique un mouvement de circulation réel de la Lune autour de la Terre, qui s'effectue en un peu moins de vingt-sept jours et demi. Le centre de la Lune revient, après cette période, passer au méridien en même temps qu'une étoile déterminée, dont le passage avait coïncidé avec le sien au début de la révolution lunaire.

Mais si l'on n'a pas oublié que le mouvement rétrograde apparent du Soleil a lieu dans le même sens que celui de la Lune, il en doit résulter que si l'étoile considérée et les deux centres ont passé au méridien au même instant, le retour à l'étoile a dû s'effectuer plus vite que le retour au Soleil. La différence est de près de deux jours, de sorte que la révolution *synodique* est d'un peu plus de vingt-neuf jours et demi.

Ce mouvement s'effectue suivant les lois de Képler ; c'est dire que la courbe décrite autour de la Terre par la Lune est une ellipse, — on le constate en mesurant les variations de grandeur du disque correspondant à des variations inverses de distance ; — puis, que la loi de proportionnalité des aires et des temps est remplie ; enfin, que el rapport entre le carré du temps de sa révolution et le cube de sa moyenne distance à la Terre, est bien le même que pour les autres corps célestes. Je n'insiste pas sur ces faits, qui se reproduiront pour tous les autres corps célestes dont nous aurons à parler dans nos causeries.

Du reste, je ferai observer aussi, une fois pour toutes, qu'en assignant la forme elliptique à l'orbite de la Lune, c'est une façon de parler toute relative et qui signifie, qu'en supposant la Terre immobile dans l'espace et rapportant à cette planète les positions occupées par la Lune dans sa révolution, toutes ces positions ne sont autres que les points successifs d'une ellipse dont le centre de la Terre occupe un foyer. Mais en réalité l'orbite lunaire a dans l'espace une forme beaucoup plus compliquée, qu'on obtiendrait par la combinaison des divers mouvements auxquels la Lune participe : mouvement propre, autour de la Terre, mouvement de la Terre autour du Soleil, mouvement du Soleil autour du foyer inconnu vers lequel il gravite............

L'orbite de la Lune n'est pas contenue dans le plan de l'orbite terrestre, mais l'inclinaison des deux plans est assez faible : un peu moins de la dix-huitième partie d'un angle droit. Les deux points où la Lune traverse le plan de l'écliptique, dans son mouvement de révolution, et qu'on nomme les *nœuds* de la Lune ne sont point diamétralement opposés. La raison en est que ces points ont, comme les équinoxes, un mouvement d'Orient en Occident, mais beaucoup plus prononcé, puisqu'en 18 ans et 2/3 la révolution des nœuds est achevée. D'autre part, l'inclinaison de l'orbite lunaire sur l'écliptique est à peu près constante, ce qui indique un mouvement conique de son plan sur celui de l'orbite de la Terre et montre qu'en définitive la courbe tracée par la Lune n'est pas une courbe plane.

Pour en finir avec les détails qui concernent le mouvement de translation de la Lune, j'ajoute que son orbite est plus allongée que l'orbite terrestre : tandis qu'entre les deux distances extrêmes de la Terre au Soleil, la différence est d'un 60e de l'arc total, la même différence pour les distances apogée et périgée de la

Lune à la Terre est d'un vingtième environ, ou proportionnellement trois fois plus grande.

La Lune n'est pas lumineuse par elle-même, avons-nous dit, mais elle reçoit du Soleil la lumière qu'elle nous renvoie par réflexion. La preuve de ce fait est écrite dans les phases ou apparences variées que présente le disque lunaire, dans une période de révolution synodique autour de la Terre. Tout le monde connaît les phases de la Lune, dont les appellations sont également populaires : nouvelle Lune, premier quartier, pleine Lune, dernier quartier.

Si, parmi les lecteurs de ces causeries, il en est quelques-uns qui ne saisissent point de prime abord la liaison qui existe entre les phases et les positions successives de la Lune sur son orbite, rapportées à la position du Soleil, voici une petite expérience fort simple, qui lèvera tous leurs doutes : je les engage à l'exécuter.

Par un plein Soleil, prenez une sphère qui représentera la Lune ; restez immobile, pendant qu'une autre personne, tournant autour de vous, vous présentera successivement la boule qui figure notre satellite. Cette boule sera éclairée par le Soleil : un de ses hémisphères sera illuminé pendant que l'autre hémisphère restera dans l'ombre. Vous occupez la position de la Terre et représentez un observateur situé à sa surface.

Je vous prierai de noter quatre positions de la Lune ; la première, lorsque la sphère qui la figure se trouvera en face du Soleil, c'est l'instant de sa *conjonction* ; la troisième, à l'opposé de la première ; elle correspond à l'instant où la Terre est en ligne droite entre la Lune et le Soleil, c'est le moment de l'*opposition* ; la seconde et la quatrième sont à angle droit avec les deux autres ; on les nomme les *quadratures*, comme aussi, la conjonction et l'opposition s'appellent encore *Syzygies*, dans le langage des astronomes.

Eh bien, ne voyez-vous pas que dans la première position vous ne verrez en aucune façon l'hémisphère éclairé de la Lune, qu'à l'opposition au contraire vous le verrez tout entier ? Tandis qu'aux deux quadratures, la moitié du disque est lumineuse, l'autre moitié est obscure et par suite invisible.

Dans les positions intermédiaires, les parties lumineuses et obscures iront en croissant et en

décroissant graduellement, de sorte qu'au début
de la révolution, vous commencerez par ne
voir qu'un léger filet ou croissant lumineux
dont les deux cornes seront à l'opposite du
Soleil, c'est à dire tournés vers l'Orient. Peu à
peu ce croissant s'agrandira jusqu'à devenir
un demi-cercle, puis ce sera le tour de la partie obscure de prendre la forme de croissant,
jusqu'à ce qu'elle disparaisse entièrement,
lors de l'opposition ou de la pleine Lune. Les
phénomènes inverses se présentent dans la seconde moitié de l'orbite lunaire jusqu'à ce
que la Lune, de nouveau devenue invisible,
se retrouve nouvelle Lune, et recommence à
présenter les mêmes phases.

C'est le soir, au Soleil couchant, que la nouvelle Lune commence à se dégager des rayons
du Soleil, pour se coucher peu après lui. Lorsqu'elle est pleine, elle passe au méridien vers
minuit, pendant que le Soleil passe lui-même
au méridien inférieur. Enfin c'est un peu avant
le lever du Soleil qu'à sa dernière phase elle se
montre encore à l'horizon pour bientôt disparaître.

L'expérience fort simple que je viens de dé-

crire, varierait un peu de durée, si, au lieu de
rester immobile, la Terre se meut elle-même
autour de l'astre qui éclaire, et c'est ce qui arrive ; mais encore faut-il supposer qu'au lieu
d'opérer en plein Soleil, on a substitué à cet astre une bougie située à une distance convena-
ble de la sphère qu'on promène autour de vous ;
sinon les phases resteraient identiquement les
mêmes, le Soleil étant à une distance qu'on
peut considérer comme infinie pour l'expérience en question. J'arrive à un autre ordre
d'idées.

Tout le monde peut constater que la Lune
nous présente toujours le même hémisphère.
Comment en jugeons-nous ? A la simple vue,
par l'aspect toujours le même des taches qu'offre son disque. Il y a bien de légers balance-
cements de haut en bas et de droite à gauche,
les uns réels, les autres dûs à des causes touchant à l'optique, mais ces mouvements ne
sont guère appréciables qu'aux observateurs
munis d'instruments de précision. N'en tenons
donc pas compte, et voyons ce qu'il faut conclure de cette permanence dans l'espace du
disque lunaire.

Faut-il, comme le veulent les astronomes, en déduire ce fait que la Lune, outre son mouvement de translation autour de la Terre, possède un mouvement de rotation sur un axe, dont la durée est précisément égale à celle de sa révolution ?

Devons-nous, au contraire, ainsi que le prétendent certains adversaires des astronomes, et, au premier abord, la plupart des personnes étrangères à la science, tirer du même fait la conclusion opposée, à savoir que la Lune n'a pas de mouvement de rotation ?

Avant de nous décider pour l'un ou l'autre de ces partis, le lecteur veut-il permettre la solution d'une question préalable ?

Qu'est-ce qu'un mouvement de rotation ? Quand doit-on dire d'un corps quelconque, sphérique ou non, qu'il a exécuté une rotation entière ?

Lorsque ce corps, quels que soient d'ailleurs ses autres mouvements, a successivement présenté la même face à tous les points de l'espace indéfini qui l'entoure, situés dans un même plan idéal.

Si au contraire, un corps en mouvement ou

en repos présente toujours la même face au même point, au même côté de l'espace, de manière qu'un plan arbitraire qui le coupe, ou bien reste sans cesse immobile, ou bien en se mouvant demeure sans cesse parallèle à lui-même, dans ce cas, dis-je, le corps dont il s'agit n'a pas de mouvement de rotation.

Auquel de ces deux corps la Lune doit-elle être assimilée ? là est toute la question.

En présentant toujours la même face à la Terre, n'est-il pas vrai que la Lune montre successivement cette face à tous les points de la périphérie de l'espace indéfini ? N'est-il pas vrai que l'un des plans qui la coupent, par exemple, le plan de séparation de l'hémisphère visible et de l'hémisphère invisible, ne reste point parallèle à lui-même, comme il devrait arriver si la Lune n'avait pas de mouvement rotatoire, mais prend successivement toutes les directions, de manière à être vu, après une révolution complète, de tous les points du Ciel ?

La Lune tourne donc sur elle-même ; mais ce qui détruit pour la Terre l'effet de cette rotation, c'est-à-dire la visibilité de toutes ses faces, c'est cette circonstance particulière, que, pendant la durée de cette rotation, elle accomplit en même temps autour de la Terre son mouvement de révolution. Il en résulte que l'arc de rotation décrit en un jour, je suppose, a pour correctif un arc de translation, dont la valeur angulaire est équivalente, mais de sens contraire, précisément parce que les deux mouvements sont de même sens.

Telles sont les considérations qui me forcent à me ranger, dans cette question, du côté des astronomes, malgré certaine note publiée à ce sujet dans le journal officiel du gouvernement français et dont la lecture m'étonna beaucoup lors de son apparition. Il est vrai que l'infaillibité n'est le caractère de personne, pas plus en politique qu'en Astronomie.

Avant d'entamer la question si intéressante de la constitution physique du satellite de la Terre, je ferai remarquer qu'un habitant de la Lune — à supposer qu'il en existe — doit voir notre globe avec les mêmes apparences de phases lumineuses et obscures que présente le disque lunaire lui-même, et cela dans le même intervalle de 29 jours et demi.

Quand nous avons *pleine Lune*, les luniens ont *nouvelle Terre*, et réciproquement. La Terre est pour eux à son dernier quartier, quand la Lune est au premier pour nous.

Seulement la grosseur apparente de notre planète est beaucoup plus considérable. En surface le disque de la Terre paraît treize fois plus grand aux habitants de la Lune que le disque de cette dernière ne nous paraît à nous-mêmes. En outre il leur semble occuper toujours la même position fixe dans l'hémisphère visible du Ciel, tandis que le Soleil et les Etoiles se meuvent continuellement. La Terre est pour eux comme une lampe immense suspendue dans l'espace et qui s'allume à mesure que la nuit s'accroît.

Ils sont donc mieux partagés que nous, et peuvent mieux que nous aussi invoquer les causes finales pour le besoin de leur théologie, s'ils sont forcés, pour étayer leurs hypothèses religieuses, d'avoir recours à cette sorte d'arguments. Il est bon d'ajouter que ma remarque s'applique seulement à la moitié visible de la Lune ; l'autre moitié, ne voyant jamais la Terre, est forcée de se passer, pendant ses longues nuits de 354 heures, de tout flambeau céleste.

La lumière réfléchie par l'hémisphère éclairé de la Terre, sur la portion obscure de la Lune, rend visible, avant et après la nouvelle Lune, cette partie de son disque. C'est ce qu'on nomme la *lumière cendrée*. Nous voyons donc d'ici le *clair de Terre* dont jouissent nos voisins, comme aussi nos *clairs de Lune* leur permettent de distinguer les parties obscures du disque de la Terre.

La forme de la Lune est à peu près sphérique : toutefois des considérations déduites des théories de l'attraction universelle et de l'égalité de ses deux mouvements de translation et de rotation, ont amené les astronomes à cette opinion, qu'elle est allongée dans le sens du diamètre qui joint son centre à celui de la Terre.

Quant à ses dimensions, les voici :

Le rayon de la sphère lunaire, évalué en kilomètres, vaut de 1,580 à 1,600 kilomètres, ou un peu plus du quart du rayon de la Terre. Le pourtour de la Lune est donc de plus de 10 mille kilomètres. La surface totale est la treizième partie de celle de la Terre ; enfin, son volume est la quarante-neuvième partie du volume de notre globe. On a vu plus haut que sa masse est quatre-vingt-huit fois moindre que la masse de la Terre, ce qui donne pour sa densité, les six dixièmes environ de la densité moyenne de cette dernière, c'est-à dire trois fois un tiers la densité de l'eau.

C'est, comme on voit, un assez joli petit monde, de dimensions plus que convenables pour un simple satellite.

Voyons maintenant ce qu'on sait de sa constitution physique.

La Lune, du moins dans la partie accessible aux observations, a une surface très-accidentée. Les taches nombreuses qu'on aperçoit à la vue simple, deviennent très-saillantes dès qu'on se sert d'un grossissement tant soit peu considérable. Il est évident qu'elle est sillonnée d'aspérités nombreuses, de formes caractéristiques : les ombres portées par ces saillies accusent nettement leur existence, et il n'est personne aujourd'hui qui ne sache que la Lune est couverte de très-hautes montagnes.

Beaucoup sont en forme de pics et de pitons ; mais ce qui frappe l'observateur, c'est le nombre considérable de cratères, ou cavités circulaires analogues à celles des terrains volcaniques, mais de dimensions relativement énormes. Ainsi, le cratère de *Ptolémée* a 180 kilomètres de diamètre. Le fond de ces cavités est généralement au-dessous de la surface extérieure qui entoure les murs d'enceinte.

Des cartes fort exactes et fort détaillées des accidents de la surface lunaire ont été dessinées et gravées et permettent d'étudier la disposition des terrains. Les mesures des hauteurs ont été prises avec une grande précision, et l'on est étonné, quand on voit pour la première fois les nombres de mètres qui expriment l'élévation des montagnes lunaires, de leur trouver d'aussi fortes dimensions. Les hauteurs de 1,000 à 2,000 mètres sont très-communes, mais il y en a un grand nombre qui vont jusqu'à 5, 6 et même 7,000 mètres. Le pic de *Dœrfel* a 7,600 mètres de hauteur au-dessus du niveau des plaines environnantes.

De longues rainures, presque rectilignes, ont paru à certains observateurs, l'indice de travaux dûs aux habitants de la Lune ; mais les dimensions considérables de ces fentes à rebords perpendiculaires, — il en est qui ont jusqu'à 1,600 mètres de largeur et 5 à 6,000 mètres de profondeur, — ont fait renoncer à cette interprétation. Il en est de même de prétendus travaux de fortifications, aperçus par un professeur allemand. Conservons cette illusion, que nos voisins ignorent l'art de se détruire dans les règles et par bataillons, et que la folie de la guerre est un des signes distinctifs de l'habitant de la Terre. Il est bon de croire que la justice préside quelque part au développement et à l'organisation des sociétés d'êtres vivants! Mais existe-il des habitants sur la Lune ?

A cette question, les savants ne répondent encore que par des constatations désespérantes : à les croire, la Lune ne possède ni eau ni atmosphère. C'est une planète desséchée, disent les uns, un monde fini, une création morte, disent les autres.

Est-ce là un arrêt définitif? Rien ne le prouve encore.

Les astronomes ont bien constaté que la durée du passage d'une étoile derrière le disque lunaire n'est point diminuée par la réfraction des rayons lumineux qui nous parviennent après avoir rasé les bords du disque ; ce qui prouve, ou bien que cette réfraction n'a pas lieu, auquel cas la Lune n'a pas d'atmosphère, ou que cette réfraction est excessivement faible, et dans ce cas l'atmosphère serait moins dense que l'air qui reste encore dans le vide relatif obtenu par les machines pneumatiques les plus perfectionnées.

Mais, comme Arago le fait observer, la méthode employée suppose que les dimensions du diamètre de la Lune sont connues avec une extrême précision. En est-il ainsi ?

Encore, cela fût-il, la conclusion prouverait seulement que telle est la rareté de l'atmosphère, au niveau des hautes montagnes ; puisque le contour extérieur du disque de la Lune est déterminé par le sommet des montagnes et non par le sol des plaines.

Enfin, des expériences contradictoires, faites à l'observatoire de Rome, n'ont-elles pas accusé la présence d'une atmosphère dans les interstices laissés par les échancrures du disque ?

La question est donc encore indécise, bien que les preuves en faveur de l'existence d'une atmosphère lunaire soient moindres que les preuves négatives.

S'il n'y a pas d'air dans la Lune, il n'y a pas d'eau.

Alors, en effet, l'absence de pression atmosphérique eût rendu l'évaporation extrêmement facile, et la formation de nuages aurait été permanente. Or, on ne constate aucune apparence de nuages à la surface de l'hémisphère visible. Des nuages eussent produit pour nous des taches sensibles, variables, tandis que la netteté de la vision est toujours la même, lorsque l'altération ne vient point des vapeurs qui se forment dans notre propre atmosphère.

Dans cette hypothèse, il faut avouer que les Luniens, s'ils existent, diffèrent considérablement des êtres vivants que nous connaissons, pour lesquels l'air et l'eau sont des conditions nécessaires d'existence et de développement. Pour qui sait avec quelle profusion la nature varie les manifestations de la force vitale, des différences d'organisation aussi profondes n'ont rien d'essentiellement impossible.

QUINZIÈME CAUSERIE.

Les Eclipses de Soleil et de Lune.

Voilà un de ces phénomènes si connus, si souvent observés par les personnes les plus étrangères à la pratique des sciences, qu'il me parut d'abord superflu d'en faire l'objet d'une de nos causeries. Il y a, en effet, en moyenne, de 350 à 400 éclipses dans la période d'un siècle : il s'en faut, il est vrai, qu'elles soient toutes visibles à la fois de tous les points de la Terre, mais le nombre des éclipses, soit de Lune, soit de Soleil, visibles en un lieu donné du globe, est encore assez considérable pour rendre vulgaire l'observation de ce phénomène astronomique.

Toutefois, comme la théorie des mouvements de la Lune et de la Terre se trouve confirmée par l'explication raisonnée des Eclipses, et que nous avons surtout en vue de connaître la raison des faits, j'entrerai à ce sujet dans quelques détails.

Tout corps opaque, éclairé, projette derrière lui, c'est-à-dire à l'opposé de la source de lumière, une ombre, une portion de l'espace privée de lumière, puisque les rayons lumineux se propageant en ligne droite ne peuvent pénétrer dans cette partie de l'espace. Si le corps éclairé est sphérique, la forme de l'ombre sera celle d'un cône, et si la source de lumière est de dimension supérieure à celle de la sphère en question, ce cône aura son sommet situé à une certaine distance au delà du corps éclairé, distance qui dépend à la fois des dimensions relatives des deux corps et de leur distance mutuelle.

Indépendamment de l'ombre, il y a aussi la pénombre ; c'est une portion de l'espace qui enveloppe la première et comprend tous les points où n'arrivent qu'une partie des rayons lumineux de la source. La pénombre est d'autant plus obscure qu'elle est plus voisine de l'ombre même.

La Terre et la Lune, corps de forme sphéroïdale, étant tous deux éclairés par le Soleil dont les dimensions sont incomparablement plus grandes, projettent dans l'espace des ombres coniques dont la géométrie permet de déterminer facilement les longueurs respectives.

Maintenant, imaginons que l'un de ces deux astres entre en totalité ou en partie dans l'ombre de l'autre, et nous aurons éclipse :

Éclipse de Lune, si la Lune pénètre dans le cône d'ombre de la Terre :

Eclipse de Soleil, si la Terre passe — cela n'arrive jamais qu'en partie — à travers le cône d'ombre projeté par la Lune.

Telles sont les causes, fort simples, de ces deux sortes de phénomènes.

Il reste à savoir dans quelles circonstances ils se produisent.

L'éclipse de Lune ne pourra avoir lieu que pendant la phase d'opposition ou de pleine Lune, parce que c'est dans cette phase seule que la Terre est directement interposée entre le Soleil et la Lune.

L'éclipse de Soleil, au contraire, est seule-
lement possible lors de la conjonction ou pendant la nouvelle Lune, parce que c'est dans
cette phase seule que la Lune est directement
interposée entre le Soleil et la Terre.

Ainsi les éclipses ne sont possibles que dans
les Syzygies : ce qui ne veut pas dire qu'elles
aient lieu nécessairement à toutes les périodes
lunaires. On sait en effet que l'orbite de la Lune n'est pas plane et qu'en outre son inclinaison sur l'orbite de la Terre atteint jusqu'à 5
degrés. Il arrive donc le plus souvent qu'elle
ne coïncide pas avec le plan de l'orbite terrestre
et qu'elle ne remplit pas la condition nécessaire soit à son immersion dans le cône d'ombre de la Terre, soit au passage de la Terre
dans le cône d'ombre de la Lune.

Les éclipses ont donc lieu seulement lorsque
la Lune est voisine d'un de ses nœuds, en même temps qu'elle se trouve dans l'une des
deux phases de nouvelle Lune ou de pleine Lune. Comme cette circonstance est loin d'arriver
à chaque période lunaire, on comprend que les
éclipses soient beaucoup moins nombreuses
que ces périodes mêmes.

On conçoit que la connaissance du mouvement de la Lune permette le calcul précis des époques où les éclipses, non-seulement sont possibles, mais ont lieu certainement. Bien plus, on sait prédire au juste l'instant précis où ces phénomènes commencent, leur durée et l'heure de leur terminaison, et cela pour chaque lieu de la Terre.

C'est le moment de faire une distinction entre les éclipses de Lune et celles de Soleil.

Lorsque la Lune pénètre dans le cône d'ombre projeté par la Terre, la surface brillante est réellement obscurcie. Qu'en résulte-t-il? C'est que l'éclipse a lieu, au même instant physique, pour tous les points de la Terre qui ont à ce moment la Lune au-dessus de leur horizon. Si les heures ne sont point les mêmes, cela tient à la différence des longitudes des divers lieux ; différence qui fait que les horloges marquent onze heures à Paris, quand il est minuit à Vienne ou à Dantzick. Une éclipse de Lune n'est donc invisible que pour l'hémisphère de la Terre qui ne voit pas la Lune.

Il n'en est pas de même d'une éclipse de Soleil. Le disque de cet astre ne nous paraît obscurci que par l'interposition du disque de

la Lune dont le cône d'ombre vient nous envelopper ; mais, en réalité, le disque solaire reste
aussi brillant qu'auparavant. Dès lors, tous les
points de la Terre que le cône d'ombre ne parcourra point, ou bien n'éprouveront qu'une
éclipse partielle, ou même ne cesseront pas de
voir le disque entier du Soleil et par conséquent
n'auront pas d'éclipse.

Ainsi, par un effet de projection géométrique
facile à comprendre, les éclipses de Soleil ne
sont pas visibles pour tous les points de la Terre.
Elles sont totales pour certains lieux, partielles
pour d'autres, et invisibles pour le reste de
l'hémisphère éclairé par le Soleil. De plus, elles n'ont pas lieu, pour tous les points où elles
sont visibles, au même instant physique. Cela
tient à ce que la Lune, en vertu de son mouvement réel combiné avec le mouvement de la
Terre, promène son cône d'ombre à la surface de notre globe, en lui faisant décrire une
courbe qu'on sait calculer d'ailleurs avec précision.

Une des conditions essentielles pour la possibilité des éclipses, c'est que le cône d'ombre
de la Terre atteigne la Lune ; c'est que le cône

d'ombre de la Lune atteigne la Terre. J'ai mentionné plus haut cette condition. Est-elle toujours remplie ?

On trouve, par le calcul, que la longueur du cône d'ombre projeté par la Terre dans l'espace est, à la distance moyenne au Soleil, de 216 à 217 fois la longueur de son rayon. Aux distances maximum et minimum, ou comme on dit en langage astronomique, à l'aphélie et au périhélie, ce cône vaut 220 fois et 213 fois ce même rayon.

Or, on a vu que la Lune ne s'éloigne jamais de la Terre à plus de 64 rayons terrestres. Ainsi cette première condition est, toujours et au delà, remplie. La possibilité d'une éclipse de Lune est donc, par le fait, indépendante de cette condition.

En outre, la dimension du cône est telle que la Lune peut s'y plonger tout entière, et par suite être totalement éclipsée. Si dans les éclipses totales de Lune, le disque de notre satellite reste couvert d'une lumière rougeâtre, cela tient à la réfraction des rayons lumineux du Soleil par l'atmosphère de la Terre, réfraction qui raccourcit en réalité la longueur du cône d'ombre. On conçoit d'ailleurs que la lumière envoyée ainsi à la Lune par voie de réfraction soit en grande partie absorbée par les couches plus denses de l'air atmosphérique.

Quant au cône d'ombre projeté par la Lune, sa longueur varie entre 57 fois et demie et 59 fois et demie le rayon terrestre. Comme la distance de la Lune à la surface de la Terre varie entre 56 fois et 63 fois ce même rayon, on voit qu'il pourra arriver, à l'époque d'une éclipse de Soleil, que le cône d'ombre n'atteigne pas la surface de la Terre. Cela revient à dire que le diamètre apparent de la Lune est quelquefois moindre que celui du Soleil. Mais comme le disque lunaire se projette toujours alors sur le Soleil, il y a néanmoins éclipse. Dans ce cas, au milieu du phénomène, un anneau lumineux reste toujours visible et l'éclipse est dite *annulaire*. Quant à sa visibilité, elle varie suivant la position géographique des lieux d'observation, et les remarques faites plus haut pour les éclipses totales subsistent pour les éclipses annulaires.

Les anciens, dont les connaissances astronomiques étaient fort incomplètes, et qui, par suite, n'avaient pas les moyens précis de calculer les positions exactes des astres, à des époques déterminées, étaient arrivés cependant à prédire les éclipses. Une longue suite d'observations leur avait appris que 18 années environ forment une période telle que les positions relatives des nœuds de la Lune, de la **Terre** et du Soleil se reproduisent presque identiquement ; de façon que les éclipses de **Lune** et de Soleil, réparties dans cette période, se trouvent ramenées dans le même ordre. **Ce** moyen, tout empirique qu'il fût, finit par ébranler les préjugés et superstitions populaires relatifs aux éclipses : quand on vit la régularité présider à ces phénomènes, attribués d'abord à des influences magiques et surnaturelles, on se familiarisa avec leurs apparitions, et les terreurs disparurent. De nos jours, la pensée humaine, éclairée par une philosophie rationnelle, s'est élevée plus haut encore dans la conception de l'ordre universel, et la création fantasmagorique d'êtres imaginaires, à la volonté desquels les mondes seraient incessamment soumis, ne semble plus le fait que des esprits mystiques ou peu au courant de la science nouvelle.

Un mot maintenant sur les incidents curieux qui accompagnent les éclipses.

Il y a peu de choses à signaler dans les éclipses de Lune, sinon la teinte rougeâtre que prend d'ordinaire la partie éclipsée, et dont on a vu plus haut la cause. Des observateurs ont cru apercevoir des points brillants sur le disque obscurci, mais rien de précis n'a été sérieusement constaté et n'a pu fournir de données particulières sur la constitution intime de notre satellite.

Les éclipses de Lune pourraient servir à déterminer la longitude en mer, si l'entrée du disque dans la pénombre ne rendait extrêmement vague le commencement précis du phénomène. L'erreur possible en pareil cas dépasse beaucoup celle qu'on peut négliger pour fixer d'une manière suffisante la position d'un navire. Au début de ces causeries, j'ai tâché de faire saisir comment il est possible de résoudre ce problème, en mesurant la distance apparente du bord de la Lune à certaines étoiles particulières, ou en notant l'heure du passage de ces mêmes étoiles derrière le disque de l'astre (1).

Si les éclipses de Lune offrent peu d'intérêt, au point de vue des incidents qu'elles ont présentés jusqu'ici aux observateurs, il n'en est pas de même des éclipses solaires, surtout des éclipses totales.

Pour en donner une idée, je vais entrer dans quelques détails sur les plus saillants phénomènes qui ont signalé la dernière éclipse totale, celle du 18 juillet 1860. On verra quel parti il

(1) Si l'on désire avoir une idée un peu juste de la solution dont il s'agit, qu'on veuille bien se rappeler,

Que la Lune est un astre relativement très-proche de la surface de la Terre, tandis que les étoiles qui semblent être dans son voisinage, en réalité sont situées à des distances incomparablement plus grandes ;

Qu'alors, si l'on se déplace à la surface de la Terre, sur les mers ou sur les continents, le disque de la Lune ne correspond plus tout à fait au même point du ciel ; de sorte que deux observateurs situés l'un à Paris, l'autre dans la Méditerranée, mesurant au même instant la distance de la même étoile au bord de la Lune, ne trouveront pas le même résultat.

Or, il y a entre ces distances, les heures d'observation et la position des observateurs des rapports mathématiques qui permettent de trouver la différence de longitude des deux lieux géographiques. Des tables calculées d'avance servent aux marins ou voyageurs qui éprouvent le besoin de déterminer exactement le lieu où ils se trouvent.

sera possible d'en tirer un jour pour arriver à la solution des questions qui concernent la constitution physique de la Lune et du Soleil.

C'est au nord de l'Afrique et en Espagne qu'ont été faites les observations suivantes, par des astronomes que la solennité et l'intérêt du phénomène avaient attirés de tous les observatoires de l'Europe.

Dans la partie de l'éclipse où le disque lunaire, s'avançant comme un écran sur le Soleil, a empiété peu à peu sur lui, en ne produisant qu'une occultation partielle, les particularités ont offert peu d'intérêt. On a constaté seulement, avec la diminution progressive de la lumière, un abaissement de température qui a été jusqu'à 6 degrés centigrades.

Mais aussitôt que l'éclipse est devenue totale, les observateurs ont été témoins d'une série extrêmement curieuse de phénomènes.

Le disque obscur de la Lune s'est entouré d'une auréole lumineuse dont la teinte allait en s'effaçant, à mesure qu'elle s'éloignait du Soleil. Des rayons plus lumineux, partant dans toutes les directions, donnaient à cette auréole l'aspect d'une *gloire* : quelques-uns d'entre

eux ne convergeaient pas vers le centre et pre-
naient la forme d'un panache recourbé.

Puis, sur tout le contour caché du Soleil, apparurent successivement des protubérances de
formes variées : les unes, ressemblant à des
nuages isolés de couleur rose et d'inégale intensité ; les autres, sous forme de pics incandescents, roses, violets, de couleur carmin ;
d'autres enfin s'échappant du disque comme
des flammes, comme des crêtes lumineuses
d'un rouge éclatant. Sur toute une partie du
contour du Soleil, on vit une succession de
nuages rouges, dentelés, ou encore un filet
pourpre d'une moindre élévation.

Toutes ces apparences curieuses, dont des
épreuves photographiques ont conservé l'aspect à divers moments de l'éclipse totale, va-
riaient de forme, de position et de grandeur, à
mesure que le temps s'écoulait.

Sont-elles l'indice de faits réels qui se passent à la surface du Soleil, sur le globe de la
Lune, ou ne sont-elles que des phénomènes
d'optique, de diffraction, par exemple ?

Bien que les diverses circonstances, et les
relations des divers observateurs n'aient point

encore été analysées, contrôlées et discu-
tées, et qu'ainsi la réponse à de telles questions ne puisse être que provisoire, on s'ac-
corde néanmoins à reconnaître que la couronne, l'auréole lumineuse est un effet d'optique,
qui ne correspond point à l'existence réelle
d'une atmosphère solaire ou lunaire ; que
c'est un phénomène de diffraction ;

Mais, que les protubérances rougeâtres accusent l'existence, à la surface du Soleil, d'une
couche continue de matière d'une assez grande densité recouvrant la surface lumineuse de
l'astre. C'est hors de cette couche ou dans sa
profondeur que se manifestent ces sortes d'é-
ruptions produites sans doute par des tour-
mentes, des sortes de trombes, des tempêtes
gigantesques. On peut se faire une idée de
l'immensité de ces météores solaires, quand
on sait que, d'après les mesures de deux astronomes, des pics incandescents avaient, au
moment de l'éclipse, 20,000 lieues d'épaisseur
et 6000 lieues d'étendue.

L'obscurité produite par l'éclipse n'a point
été aussi forte qu'on s'y attendait : cependant
des étoiles de première grandeur, des planètes

apparurent. L'horizon se colora de teintes cui-
vrées au moment où le cône d'ombre vint en-
vahir le sol. Enfin la disparition de la lumière
et de la chaleur solaires produisit sur divers
animaux des impressions diverses, fort sensibles.

Ce court récit suffira peut-être à donner une
idée de la beauté et de l'importance d'un spectacle d'ailleurs fort rare.

L'année 1861 verra encore se reproduire ce
phénomène, qui n'aura plus lieu ensuite qu'en
1870. Mais encore faudra-t-il courir au-devant
de lui, et aller l'observer dans la Méditerran-
née, dans l'Océan Atlantique, ou au désert de
Sahara.

J'aurais voulu, devançant les conclusions
des savants, examiner les conséquences rigoureuses ou conjecturales qu'on va pouvoir tirer
des faits constatés plus haut : mais tant que
l'élimination des points douteux n'est pas faite,
tant que la concordance des observations
n'autorise pas l'admission d'un fait précis, la
réserve est commandée par la plus vulgaire sagesse, et l'hypothèse admise jusqu'ici pour la

constitution physique du Soleil, hypothèse
dont j'ai donné une sommaire esquisse, me
paraît devoir rester entière.

SEIZIÈME CAUSERIE.

Planètes inférieures. — Excursion dans Vénus et dans Mercure.

Si de la Terre, nous reprenons notre course vers le Soleil, nous rencontrerons en route deux des plus intéressantes planètes du système, que nous pouvons dire nos voisines, puisque, dans leurs mouvements, elles se rapprochent de la Terre au point de n'en être plus éloignées, l'une que de 18 millions 700 mille lieues, l'autre que de 9 millions 750 mille.

Elles furent toutes deux connues des Anciens, mais assez mal connues, puisqu'ils les avaient pour ainsi dire dédoublées de manière à en faire quatre planètes au lieu de deux. Ainsi tantôt la plus rapprochée du Soleil était pour eux Apollon, le dieu de la lumière ou du jour, tantôt c'était Mercure, dieu des voleurs, ami de l'obscurité des nuits. De même, Vénus, le soir, recevait le nom de Vesper, et le matin, celui de Lucifer, et ce fut longtemps à leurs yeux deux étoiles distinctes.

La raison de cette confusion est facile à saisir.

A deux époques différentes, on voit chacune de ces deux planètes se coucher un peu après le Soleil, puis s'en éloigner de plus en plus chaque soir. L'écart maximum, qui pour Vénus est d'un peu plus du quart d'un demi-cercle céleste, qui pour Mercure est environ moitié de l'écart de Vénus, étant atteint par ces astres, un mouvement en sens inverse les rapproche du Soleil, et elles finissent chacune par confondre leurs feux avec les rayons solaires.

Les anciens donnèrent aux deux planètes du soir, comme on vient de le voir, les noms de Mercure et de Vesper.

Mais ils ne pouvaient croire, faute de connaissances astronomiques suffisantes, qu'elles fussent identiques avec les deux étoiles du matin, Apollon et Lucifer, qui peu après la période dont je viens de parler, se lèvent un peu avant le Soleil.

On sait maintenant que cette double oscillation est due à un mouvement de circulation exécuté par Vénus et par Mercure, autour du centre de notre système planétaire.

Ce qu'on ignore plus généralement, c'est que ces deux planètes ont des phases identiques à celles de la Lune et provenant des deux mêmes causes, de l'opacité de corps non lumineux par eux-mêmes, et des positions diverses qu'ils occupent par rapport au Soleil et à la Terre. Il en résulte que les deux sphéroïdes de Vénus et de Mercure, nous présentent tour à tour leurs hémisphères obscurs ou éclairés ou des portions plus ou moins grandes des uns et des autres.

Les orbites, ainsi décrites, étant comprises dans l'intérieur de l'orbite de la Terre, et de dimensions inférieures à celle-ci, n'en doit-on pas conclure que les deux planètes ne seront jamais situées à l'opposé du Soleil, par rap-port à la Terre, et ne devront parcourir que des

portions restreintes du ciel étoilé ? C'est aussi
ce que l'observation constate.

Mais en revanche, elles ont chacune deux
conjonctions, ou, — si l'on veut bien se rappeler ce qu'est la conjonction lunaire, — deux
positions pour lesquelles la Terre est en ligne
droite avec elles et avec le Soleil, du moins
quand on considère le sens perpendiculaire à
l'écliptique. Ces deux positions correspondent
aux moments où les planètes se trouvent au
devant du Soleil, ou au contraire, derrière cet
astre.

Est-il besoin d'ajouter qu'on ne doit pas confondre, dans les explications qui précèdent,
Vénus avec Mercure ? Elles ne suivent pas, ces
deux planètes *inférieures* ou *intérieures*, la même route dans le ciel, et n'accomplissent pas
davantage leurs périodes dans le même temps,
ni simultanément. Si je les ai un instant réunies, c'est que leurs mouvements, leurs apparences sont de tout point analogues.

Mais il faut dire encore, avant de les étudier séparément, qu'à chaque révolution autour du Soleil, elles devraient faire éclipse,
c'est-à-dire, se projeter en noir sur le disque

du Soleil, quand elles passent devant lui, ou
être cachées par ce disque, quand elles passent
derrière lui. Il n'en est rien cependant. C'est
que leurs orbes ne se confondent point avec
celui de la Terre : ils sont inclinés sur ce dernier de telle sorte que le plus souvent les deux
astres dépassent en dessus et en dessous le
disque du Soleil, à l'époque de leurs conjonctions.

Pour qu'il y ait passage, il faut que ces conjonctions aient lieu au moment des nœuds (1),
ou du moins dans le voisinage de ces points.

Cela arrive encore assez souvent pour Mercure : d'ici à la fin du dix-neuvième siècle, on
pourra observer sept passages de Mercure sur
le disque du Soleil, parmi lesquels le premier
aura lieu le 11 novembre 1861.

Mais les passages de Vénus sont plus rares.
Il y en a au plus deux par siècle, qui se succèdent alors à huit ans d'intervalle : les deux pas-

(1) Je rappelle ici qu'on entend par *nœuds* d'une
planète ou de la Lune, les points où l'orbite de ces astres vient couper l'orbite de la Terre. A l'époque des
nœuds, le centre de l'astre considéré est donc précisément dans le plan de l'écliptique. Il y a alors éclipse, si le Soleil se trouve en même temps en conjonction ou en opposition.

sages du dix-neuvième siècle auront lieu, le 8
décembre 1874, et le 6 décembre 1882. L'importance du phénomène en compense la rareté.
On comprendra la raison de l'intérêt que les astronomes attachent au passage de Vénus,
quand on saura que ce passage fournit une des
méthodes les plus simples et les plus précises
au moyen desquelles on soit parvenu à déterminer la distance du Soleil à la Terre.

Enfin, pour en finir avec les généralités qui
concernent Mercure et Vénus, disons que la première de ces deux planètes décrit son orbite en
deux mois et vingt-huit jours environ, tandis
qu'il faut sept mois et quatorze jours 2/3 à Vénus pour accomplir sa révolution totale ; que
les distances au Soleil de Mercure varient entre onze millions et demi environ et dix-huit
millions de lieues de quatre kilomètres ; pour
Vénus ces distances extrêmes sont de vingt-
sept millions trois cent mille lieues et vingt-
sept millions six cent soixante-dix mille lieues.
D'où la conséquence que l'orbite de Vénus est
presque circulaire, tandis que celle de Mercure
est très allongée, circonstance mentionnée dans
une note d'une précédente causerie.

La planète Mercure, en raison de sa grande proximité du Soleil, est d'une observation difficile. Elle n'est jamais fort élevée au-dessus de l'horizon, et dès lors exige, pour être vue nettement, une grande pureté des couches inférieures de l'atmosphère. Sa lumière est fort vive néanmoins et parfois scintillante.

Que sait-on de sa constitution physique ?

Peu de chose encore. Les lunettes ont bien donné, par des mesures micrométriques, la valeur du diamètre apparent de son disque et par suite sa grandeur réelle évaluée en lieues. Ce diamètre est de 1250 lieues environ, un peu plus des trois huitièmes du diamètre de la Terre. Son volume n'est donc que les 0,06 du volume de notre globe, mais il est environ le triple du volume de la Lune.

Mercure est, comme on voit, une planète d'assez belle dimension, et qui ne fait pas trop mauvaise figure en compagnie des planètes ses voisines, de Vénus et de la Terre.

Si les conditions physiques dans lesquelles elle se trouve sont à peu près identiques aux conditions analogues qu'on observe à la surface de la Terre, Mercure doit recevoir à profusion la lumière et la chaleur. En comparant l'intensité des rayons envoyés par le Soleil à la surface de cet astre, avec l'intensité de ceux que reçoit la Terre, on trouve en moyenne pour la première un nombre sept fois aussi considérable. Doit-on se hâter d'en conclure que la température est plus forte dans la même proportion à la surface de Mercure ? Non, sans doute ; il faudrait, pour évaluer le rapport dont il s'agit, connaître la nature et les propriétés de l'atmosphère qui entoure cette planète, sa densité, sa capacité pour la chaleur et pour la lumière. Or, on sait fort peu de chose sur l'atmosphère de Mercure : c'est tout au plus si l'existence en est bien démontrée.

Les raisons qui militent en faveur de cette existence sont néanmoins assez concluantes.

D'un côté, d'habiles observateurs ont remarqué que la ligne de séparation de la lumière et de l'ombre, dans l'une quelconque des phases de Mercure, n'est pas nettement tranchée. La dégradation de teinte ne peut s'expliquer que par la présence d'une couche gazeuse dont les parties supérieures sont encore éclairées, quand les autres sont déjà plongées dans l'ombre.

D'un autre côté, on a cru voir, lors d'un passage de la planète sur le disque solaire, une sorte d'anneau moins lumineux entourer la tache ronde et noire projetée sur ce disque, comme si les rayons solaires, en traversant l'atmosphère de Mercure, avaient été en partie absorbés par elle.

Enfin, une preuve plus convaincante encore, c'est la présence de taches variables qui obscurcissent le disque et produisent une variation d'éclat. Ces taches ont la forme de bandes obscures qui affectent une direction constante. Ne doit-on pas voir dans ces bandes des couches nuageuses dont la forme est due à des courants atmosphériques ayant pour cause la vitesse de rotation de la planète? Il y aurait là un phénomène analogue aux vents réguliers et périodiques qui soufflent à la surface de la Terre et dont l'existence est liée à son mouvement de rotation. Tout porte à croire qu'il en est ainsi.

Quant au mouvement de rotation lui-même, ce n'est pas l'analogie seule qui le prouve, mais une série d'observations d'un phénomène périodique : je veux parler de l'apparition et de la disparition d'une troncature à l'extrémité de la corne méridionale du croissant délié de Mercure. On attribue cette troncature à la présence d'une montagne très-élevée, dont le flanc opposé au Soleil masque une certaine partie du croissant lumineux ; et comme l'intervalle de temps qui s'écoule entre deux apparitions ou deux disparitions successives est toujours le même, on en a conclu la réalité d'un mouvement de rotation qui s'accomplit, à peu de chose près, dans cet intervalle. On trouve ainsi que la durée du jour solaire de Mercure est de 24 heures 5 minutes, un peu plus du jour terrestre, et que la planète exécute environ 87 rotations et demie, pendant sa révolution autour du Soleil.

La direction des bandes nuageuses a servi à calculer l'inclinaison de l'axe de rotation sur le plan de l'orbite : on a trouvé ainsi un peu moins du quart d'un angle droit. Or, si l'on veut bien se reporter par la pensée à la liaison qui existe entre la variabilité des saisons à la surface de la Terre et l'inclinaison de l'axe terrestre sur le plan de l'écliptique, on en conclura aisément pour Mercure, des variations plus grandes encore et par suite des températures extrêmes plus éloignées.

J'ajouterai, pour compléter ce qu'on sait de la constitution intime de la planète que nous sommes en train d'explorer, que des astronomes ont vu, sur la partie obscure de son disque, un point lumineux. Ils en ont tiré la conséquence que des volcans en ignition brûlent encore à la surface de Mercure. S'il en est ainsi, c'est une preuve de plus à l'appui de l'existence d'une atmosphère.

On a aussi mesuré la hauteur approximative de la montagne qui a servi à constater le mouvement de rotation et à en connaître la durée. Cette hauteur, énorme pour les dimensions de la planète, ne serait pas moindre de 4 à 5 lieues. C'est la deux cent cinquantième partie du diamètre de Mercure : or, on sait que la plus haute montagne du globe terrestre ne dépasse pas le niveau de la mer, de la quatorze centième partie du diamètre de la Terre.

Les détails qui précèdent, à les supposer d'une complète exactitude, offrent certainement un très-grand intérêt. Ils semblent prouver en effet l'analogie de structure de la planète en question et du sphéroïde terrestre. Une masse centrale en fusion, qui s'épanche au-dessus de la croûte solidifiée par des ouvertures volcaniques, puis cette croûte, bouleversée par les révolutions internes, présentant à sa surface des dépressions et des élévations, des vallées et des montagnes. Seulement, dans Mercure, comme dans la Lune, les hauteurs de ces montagnes sont comparativement supérieures à celles de notre globe.

Les mesures des différents diamètres du disque de Mercure, ne permettent pas encore d'affirmer qu'il ait un aplatissement sensible, comme la théorie l'indique dans l'hypothèse où il aurait été primitivement fluide. L'incertitude où l'on est encore au sujet des éléments de la constitution physique de cette planète, s'explique par la grande proximité du Soleil, dès lors par la difficulté des observations précises et par la rareté même de ces observations.

Les mouvements de la planète regardée jusqu'ici comme la plus voisine du Soleil sont aussi affectés d'anomalies qui ne s'expliquent point par des perturbations provenant des planètes actuellement connues. En faut-il conclure, ainsi qu'on l'annonce aujourd'hui, l'existence d'un certain nombre de planètes situées entre Mercure et le Soleil et dont la première aurait été observée déjà, à l'un de ses passages sur le disque de l'astre central ? Tout porte à le croire.

On le voit donc : il y a beaucoup à faire encore en astronomie, sans sortir des limites de notre monde. Ce monde lui-même n'est pas encore entièrement découvert, et s'enrichit de jour en jour de nouveaux éléments dont la connaissance importe au complet achèvement des théories astronomiques.

Mais revenons à notre exploration, et de Mercure élançons-nous sur Vénus.

C'est en sept mois et quatorze jours et demi que nous achèverons avec elle une révolution entière autour du Soleil, dans une orbite peu inclinée sur le plan de l'orbite terrestre. Pour un observateur situé à la surface de la Terre, les phases de Vénus deviennent fort distinctes, à l'aide du grossissement obtenu par les lunettes. Elles prouvent que la lumière éclatante dont brille la planète ne lui est pas propre ; c'est la lumière du Soleil qu'elle nous envoie par réflexion. Cependant l'observation a constaté que les parties obscures du disque de Vénus ne sont pas privées de toute lumière. Elles offrent une teinte rougeâtre qui a fait supposer que la matière composant la planète était douée d'une sorte de phosphorescence.

C'est au moment des quadratures, c'est-à-dire lorsque Vénus observée de la terre s'éloigne le plus en apparence du Soleil, que sa lumière brille du plus vif éclat. Elle est moindre au moment de la conjonction supérieure, alors que cependant son disque est pleinement éclairé. Mais on comprendra la raison de ces différences d'intensité, quand on réfléchira à la variation considérable des distances de la planète à la Terre, pendant la période de son mouvement de révolution autour du Soleil.

Les dimensions réelles de Vénus approchent beaucoup de celles de la Terre ; toutefois elles sont un peu inférieures. Le diamètre est de 3140 lieues environ, ce qui donne un volume égal aux neuf cent cinquante-sept millièmes du volume de notre globe.

A la distance moyenne de Vénus au Soleil, et en faisant les mêmes réserves que pour Mercure, la lumière et la chaleur solaire reçues par cette planète ont une intensité à peu près double de l'intensité des rayons calorifiques et lumineux reçus par la Terre. Mais les intensités

extrêmes diffèrent beaucoup, précisément encore à cause de la variation des distances de là
planète au Soleil.

Vénus a, comme Mercure et comme la Terre, un mouvement de rotation sur un axe, dont
l'inclinaison sur le plan de son orbite est des
cinq sixièmes d'un angle droit. Les saisons y
offrent donc moins de variations que sur la Terre, et en effet, ces variations seraient nulles
pour un astre dont l'axe serait perpendiculaire
au plan de son orbite.

La durée du jour, dans Vénus, est à fort peu
près la même que celle du jour terrestre, puisque la rotation s'effectue en vingt-trois heures,
vingt et une minutes. C'est une ressemblance
de plus avec la Terre, pour une planète dont
les dimensions sont presque les mêmes.

Quant à sa constitution physique, les mêmes
analogies se représentent : atmosphère nuageuse, taches permanentes, existence de hautes
montagnes, mais mieux caractérisées que dans
Mercure, les observations devenant plus faciles,
pour un astre qui s'éloigne beaucoup plus du
Soleil et dont la lumière, par conséquent, ne va

pas se perdre au milieu des rayonséblouissants du foyer commun.

Ce sont les irrégularités des cornes du croissant de Vénus, et mieux encore l'observation de points brillants isolés, dans le voisinage du bord concave du disque qui ont accusé l'existence de hautes montagnes à la surface de la planète. Des mesures ont été prises, desquelles il faudrait conclure que certaines aspérités ont jusqu'à 44 kilomètres de hauteur perpendiculaire, cinq fois environ les plus élevées que nous connaissions sur la Terre. Ces dimensions gigantesques ne doivent-elles pas donner aux paysages, dans les parties montagneuses de Vénus, une tournure plus que sauvage ?

Il reste, au sujet de Vénus, un doute assez curieux, et qui est bien propre à montrer tout le chemin qui reste à faire pour la connaissance complète des éléments du système planétaire. Divers astronomes du siècle dernier s'accordent à mentionner l'existence d'un satellite de la planète, dont ils ont tous pu apercevoir les phases ; depuis, on ne l'a pas revu et l'on est à se demander si l'observation est réelle, ou si elle n'est point, par hasard, le produit d'une illusion d'optique. Arago, qui donne en détail l'historique de cet étrange fait dans son *Astronomie populaire*, n'ose se prononcer, et laisse la solution du problème aux observateurs futurs.

DIX-SEPTIÈME CAUSERIE.

Mars. — Les astéroïdes télescopiques. — Le monde de Jupiter.

Nos pérégrinations à travers le monde solaire, du Soleil à la Terre, de la Terre à Mercure et à Vénus, de Vénus à Mars, ressemblent un peu au voyage en zig zag d'un écolier en vacances. Il eût paru plus régulier de visiter successivement les planètes, dans l'ordre de leurs distances à leur foyer commun ; mais en procédant de cette manière, nous eussions perdu l'avantage, à mon sens, très-important, de pouvoir comparer les phénomènes relatifs aux mouvements des deux premières planètes, avec les phénomènes analogues que la Terre même nous présente.

La succession des jours et des nuits, leurs grandeurs variables aux différentes époques de l'année, les saisons, la variation de température produite par les inclinaisons diverses de tous les horizons du globe, rapportés au Soleil, sont autant de faits qui s'enchaînent clairement aux mouvements de rotation et de révolution de la Terre, à l'inclinaison de son axe sur son orbite. Dès lors, si l'on veut connaître ce que sont les phénomènes analogues, à la surface de Mercure et de Vénus, il suffit de modifier, d'après les données que fournissent les observations, les nombres qui mesurent soit la durée de la révolution, soit la durée de la rotation des deux planètes, soit enfin la situation de leurs axes et leurs distances moyennes et extrêmes au Soleil.

Rien de plus facile alors de se livrer aux spéculations les plus probables touchant les conditions d'existence d'êtres organisés, en joignant aux données que je viens d'énoncer tout ce qu'on a pu connaître de plus précis de la constitution physique de ces deux globes pla-

nétaires. Je ne doute pas que le lecteur n'éprouve un certain charme à laisser ainsi son imagination se promener dans le vaste champ de
l'hypothèse, et rêver aux merveilles de mondes
à la fois si semblables au nôtre, et si différents
de lui par certains points.

Mais nous avons encore beaucoup de chemin à faire, le temps nous presse ; je me hâte
donc de vous entraîner sur notre voisine d'au
delà de l'orbite de la Terre. C'est sur la planète Mars que nous abordons.

Mars est, pour la Terre, la planète située dans
les conditions les plus favorables. relativement
à l'observation et à la découverte de tout ce qui
se rattache à sa constitution physique.

Vénus, Mercure surtout, sont tellement rapprochées du Soleil que, pour une grande partie de leurs mouvements oscillatoires apparents
autour de cet astre, l'observateur est gêné par
l'éclat des rayons solaires. Il n'en est pas ainsi
pour Mars, dont l'orbite embrassant celle de la
Terre contient une série de positions où la planète est à la fois à l'opposé du Soleil et à ses
plus courtes distances à notre globe.

C'est la plus voisine de nous, parmi les planètes extérieures ou supérieures. Néanmoins sa distance à la Terre varie beaucoup, soit en raison de la grande excentricité de son orbite, soit en raison de ses positions par rapport au Soleil et à la Terre. Ainsi, tandis que la distance maximum peut aller jusqu'à quatre-vingt-douze millions de lieues, la plus courte n'atteint guère que seize millions.

La forme de l'orbite de Mars est, comme pour les autres planètes, elliptique ou ovale, mais son exentricité est, je le répète, fort grande ; de sorte qu'il y a plus de dix millions de différence entre la plus courte et la plus grande distance de Mars au Soleil. Pourquoi cette variété dans la forme des orbites planétaires ? C'est ce qu'on ne peut expliquer dans l'état actuel des connaissances astronomiques ; la cause de ces diversités va sans doute se perdre à l'origine de notre monde, aux époques excessivement reculées de la formation des planètes qui le composent. C'est aux astronomes de l'avenir à se poser et à résoudre ces questions d'ailleurs fort intéressantes, et l'on peut ajouter qu'*à priori*, leur solution n'offre rien de plus extraordinaire que celles déjà trouvées par Képler, Newton, et d'Alembert.

L'orbite de Mars fait avec l'écliptique un fort petit angle, de sorte que la planète s'en écarte au-dessus et au-dessous d'une faible quantité, dans son mouvement de révolution. La durée de ce mouvement, c'est-à-dire le temps qu'elle met à revenir à un même point de son orbite, est de 687 jours environ, ou, si l'on veut, 1 an 10 mois et 22 jours : c'est ce qu'on nomme la révolution sidérale.

Quant à la révolution synodique, c'est-à-dire, au retour de la planète à une même position, rapportée au Soleil et à la Terre, à cause du mouvement propre de la Terre, sa durée est plus longue que celle de la révolution sidérale, de 92 jours environ, ce qui lui donne une valeur de 2 ans 1 mois et 19 jours. Je rappelle ces définitions et je donne ces nombres pour qu'on arrive à comprendre nettement le sens de ces mots fréquemment employés dans les ouvrages d'Astronomie, révolution *sidérale*, révolution *synodique*.

On doit distinguer, dans le mouvement de Mars, rapporté à la Terre et au Soleil, deux positions particulières : la première, quand la Terre se trouve en ligne droite avec Mars et le Soleil, et entre ces deux astres ; dans ce cas,

Mars est à l'opposé du Soleil, ou, comme on dit, en *opposition* ; la seconde situation est celle où Mars est au delà du Soleil, la Terre étant toujours en ligne droite avec eux ; c'est l'instant de la conjonction. Or, c'est un peu avant et un peu après l'opposition que Mars paraît stationnaire dans le ciel ; dans l'intervalle, il décrit un arc rétrograde, en 73 jours. Comme j'ai consacré une des causeries précédentes à l'explication de ces apparences, je n'ai point à y revenir. J'arrive donc aux particularités qui concernent la constitution physique de Mars.

Mars brille au ciel comme une belle étoile, dont la lumière, quelquefois scintillante, offre une teinte rougeâtre très-prononcée. De toutes les étoiles, c'est celle qui affecte le plus évidemment cette couleur. Il paraît qu'elle est due, non pas à un effet de lumière provenant du passage des rayons solaires à travers l'atmosphère de Mars, mais à la nature particulière de la matière qui forme son globe.

La lumière de Mars ne lui est pas propre : elle n'est que la lumière réfléchie du Soleil. Ce fait est prouvé non pas seulement par l'analogie, mais par des expériences directes. Mars présente en effet des phases sensibles, au moment de ses quadratures. A cette époque, la forme du disque examiné au moyen des lunettes, n'est plus exactement circulaire. A l'op posé du Soleil, la courbe qui le termine est elliptique : Mars présente alors l'aspect de la Lune quelque temps avant l'opposition. On comprend aisément pourquoi il en est ainsi, la Terre se trouvant toujours à l'intérieur de l'orbe de Mars. Toutefois, quelque faibles que soient ces phases, elles suffisent pour démontrer directement le fait que Mars n'est pas lumineux par lui-même.

De nombreuses taches, d'une teinte sombre, existent à l'état permanent à la surface de la planète. Elles paraissent verdâtres, mais il est à présumer que cette couleur n'a rien de réel : elle est due sans doute à un effet de contraste, le reste du disque étant, comme je l'ai dit, d'une couleur rouge prononcée. De nombreux observateurs ont constaté le mouvement simultané de ces taches et en ont conclu que Mars tourne sur lui-même autour d'un axe dans l'intervalle de 24 heures 37 minutes. L'équateur de la planète la partage en deux hémisphères où les taches sont inégalement distribuées.

L'angle que fait avec l'orbite de Mars son axe de rotation est d'environ les deux tiers d'un angle droit. C'est un point important à constater, car il en résulte une grande analogie entre cette planète et la Terre, au point de vue du partage de leurs révolutions sidérales en quatre saisons analogues. La différence est surtout dans leur durée, qui est presque double à la surface de Mars. Le printemps et l'été embrassent une période de 372 jours sur l'hémisphère nord de la planète, les 296 autres jours appartiennent à l'automne et à l'hiver. En renversant les nombres, on a la distribution des saisons hivernales et estivales sur l'hémisphère sud de Mars.

Indépendamment des taches permanentes qui dessinent à nos yeux la configuration des continents et des mers, on observe aux deux pôles de rotation des taches blanchâtres, de dimensions variables, qui successivement envahissent et découvrent les régions polaires. L'intensité de leur lumière est double au moins de l'éclat des autres parties lumineuses, et, chose digne de remarque, elles semblent former sur le globe lui-même des protubérances qui aug-

mentent sensiblement, sur les bords du disque
envahis par elles, les dimensions de la planète.
Enfin, ce qui achèvera d'éclairer sur la nature
de ces taches blanchâtres, c'est cette circonstance permanente, que celui des deux pôles
envahi par ces protubérances est toujours le
pôle opposé au Soleil, situé dans l'hémisphère
où règnent les deux saisons hivernales.

Les glaces et les neiges s'accumulent
donc périodiquement à chacun des pôles, de
manière à produire, à notre vue, les phénomènes dont nous venons de parler. N'est-il pas
plus que probable, que pareilles observations
sont faites à la surface de Vénus, par les habitants de cette planète, s'ils étudient les transformations périodiques dont le globe terrestre est
lui-même le théâtre ?

Le pôle sud est, dit-on, plus éclatant, sur
Mars, que le pôle nord. C'est une analogie de
plus avec la Terre. On sait, en effet, que les glaces couvrent une plus grande partie de la ca-
lotte australe, moins rapprochée des continents
que les régions boréales ; le pôle sud de la
Terre doit donc aussi paraître plus blanc, plus
lumineux que l'autre , aux observateurs des
mondes voisins.

Mars possède-t-il une atmosphère? L'affirmative est plus que probable. Des variations d'intensité dans les taches permanentes, la disparition de ces taches sur les bords mêmes de la planète, plus lumineux que son centre, ne permettent pas de douter que Mars possède une atmosphère : si cette enveloppe n'a pas la même composition que l'atmosphère terrestre, tout au moins on peut assurer qu'elle est vaporeuse. La glace et la neige indiquent l'existence de l'eau ou d'une substance analogue. La vaporisation de cette substance, d'autant plus forte que la pression d'une atmosphère aérienne serait moindre, suffirait donc à envelopper Mars d'une couche de vapeurs. Je ne parle pas de l'obscurcissement et même de la disparition des étoiles à l'approche de Mars, mentionnés par des observateurs comme preuves de l'existence d'une atmosphère très-dense, parce que ces faits ne sont rien moins que constatés.

Nous ne quitterons pas cette planète intéressante, sans en donner les dimensions principales. Son diamètre apparent varie beaucoup, parce que ses distances à la Terre varient elles-mêmes d'une manière considérable. Mais son diamètre réel est de 1600 lieues, environ, de 4 kilomètres. Le volume de Mars est donc les quatorze centièmes du volume de la Terre, et sa masse n'en est que la septième partie.

La forme n'en est pas exactement sphérique, et l'on a constaté un assez fort aplatissement aux deux pôles de rotation. Mais les nombres donnés par divers observateurs, comme mesure de cet aplatissement, sont trop divergents pour qu'on puisse adopter avec toute certitude l'un d'entre eux.

A la distance moyenne de Mars à la Terre, la chaleur et la lumière qu'elle reçoit du Soleil ne sont pas moitié de la chaleur et de la lumière reçues par la Terre. Mais aux distances extrêmes, la proportion varie beaucoup.

Mars est privée de satellites. Grande difficulté pour les partisans du système des causes finales ! En effet, si la raison d'être d'un satellite est, comme l'avancent les théologiens de toute école, dans le supplément de lumière qu'ils fournissent à la planète autour de laquelle ils gravitent, Mars a de nombreuses raisons d'en être pourvue. Son éloignement du Soleil, la densité des vapeurs qui l'entourent, la longueur de ses nuits aussi considérable que celle des nuits terrestres, auraient plutôt exigé deux Lunes qu'une seule. Il n'en est rien pourtant, et l'absence de satellite n'est plus problématique pour Mars, comme elle l'est encore pour Vénus.

Qu'en faut-il conclure ?

Que la science et la raison n'ont rien à voir dans ces lieux-communs vulgaires qui ont pour but d'étayer des hypothèses contestables, par des arguments plus contestables encore. Etudions les rapports des choses, et formulons-les tels que l'expérience et l'observation contrôlées par le raisonnement les découvrent à notre esprit; mais gardons-nous de leur substituer les chimères d'une imagination égarée par des subtilités mystiques.

Avant d'arriver à Jupiter, la plus colossale des planètes du système, nous allons avoir à traverser une multitude de petits astres, qui circulent autour du Soleil comme les autres planètes, obéissent comme elles aux lois de mouvement que nous avons formulées et ne paraissent s'en distinguer que par des orbites trèsexcentriques, des inclinaisons fort variables et assez considérables sur le plan de l'orbite terrestre, et enfin par une petitesse telle, qu'elle les a fait nommer *astéroïdes* ou planètes *télescopiques*.

C'est le 1er janvier de la dernière année du 18me siècle qu'a été découverte Cérès, la première des petites planètes. Pallas, Junon et Vesta lui succédèrent, dans un petit nombre d'années. Puis, il fallut attendre un intervalle de 38 ans avant la découverte de la cinquième, en 1845. A dater de cette époque, il ne se passa pas d'année, 1846 excepté, qui n'ait fourni son contingent à l'augmentation du nombre des astéroïdes. Au moment où j'écris ces lignes, la 62me petite planète est découverte, et rien n'annonce que là doive se borner le succès des chercheurs.

En examinant la position des orbites de toutes ces planètes, les dimensions de leurs grands axes, qui varient entre 2 à 3 fois la distance moyenne de la Terre au Soleil, on est porté à considérer le système de ces petits astres, comme un anneau de matière circulant autour du foyer commun.

On crut d'abord, lorsqu'on découvrit les premières, qu'elles n'étaient que les débris d'une plus grosse planète ayant existé antérieu-rement entre Jupiter et Mars ; cette hypothèse était en quelque sorte justifiée par la publica-tion récente de la loi empirique connue sous le nom de Bode ou de Titius, d'après laquelle il existait une lacune entre Mars et Jupiter. La découverte des premières petites planètes vint combler cette lacune, en assignant à leurs dis-tances moyennes au Soleil le nombre de la sé-rie, jusque là sans signification réelle. Enfin, on reconnut que ces planètes venaient, à des épo-ques différentes de leurs mouvements, passer toutes, à fort peu près, par un même point de l'espace, exactement comme doivent le faire les fragments d'une masse, projetés par voie d'explosion dans des directions différen-tes, mais obéissant à l'énergie d'un centre at-tractif commun.

Depuis on a abandonné cette hypothèse, que les autres planètes découvertes ne justifient plus ; mais il est difficile de ne pas croire à l'origine commune de tous ces petits corps, peu importants en particulier, mais dont le nombre et la position forment une des particularités les plus curieuses et les plus originales du système solaire.

Voici quelques détails, les seuls que l'on possède, sur les dimensions et la constitution physique des quatre planètes les plus importantes de cet anneau.

Vesta est la plus brillante ; elle apparaît, quand le ciel est bien pur, comme une étoile de cinquième à sixième grandeur, encore visible à l'œil nu. Sa lumière est d'un jaune pâle.

Elle accomplit sa révolution autour du Soleil en trois ans et huit mois environ, à une distance moyenne de quatre-vingt-dix millions de lieues de 4 kilomètres. Son diamètre est de 120 lieues.

On n'a pu constater, dans Vesta, aucune trace d'atmosphère.

Pallas a l'aspect d'une étoile de septième grandeur. Elle parcourt une orbite très inclinée sur le plan de l'écliptique, et d'une excentricité considérable, en une période de quatre ans et sept mois et demi, environ. Sa distance moyenne au Soleil est de cent cinq millions de lieues.

La couleur de Pallas est jaunâtre, et la planète semble environnée d'une nébulosité qui accuse l'existence d'une atmosphère.

Ses dimensions ne sont pas bien connues. Les uns lui donnent 45 lieues de diamètre. D'autres vont jusqu'à 250 lieues et même 700 lieues.

Cérès parcourt en quatre ans et sept mois une orbite dont l'excentricité est beaucoup moins considérable que celle de Pallas.

On la croit entourée d'une atmosphère très-dense et d'une étendue considérable. Elle a l'apparence d'une étoile rougeâtre, de huitième grandeur environ. Les mesures micrométriques de son diamètre sont incertaines et lui assignent un diamètre réel compris entre 65 et 185 lieues, nombres fort divergents, comme on voit.

La couleur de Junon est également rougeâtre, mais l'intensité de sa lumière est fort variable : on la dit entourée d'une atmosphère fort épaisse.

Sa distance moyenne au Soleil, un peu inférieure à celle de Cérès, ne dépasse guère 100 millions de lieues. Son orbite, fort excentrique, est parcourue par la planète dans une période de quatre ans et quatre mois.

On donne à son diamètre réel une longueur de 146 lieues.

Les autres planètes télescopiques n'offrent

rien de bien curieux au point de vue particulier de leur constitution physique. On croit seulement qu'elles affectent des formes irrégulières, non sphériques. C'est à cette irrégularité qu'on attribue la variation d'éclat observée chez quelques-unes d'entre elles. Mais rien ne prouve que les différentes faces ne possèdent pas, à cause de leur diversité de composition, des facultés inégales de réfléchir la lumière solaire.

Quant à l'intensité de la chaleur et de la lumière envoyées par le Soleil à ces astéroïdes, elle varie avec leurs distances à cet astre.

Tel est, en quelques lignes, le résumé des principales données que fournit l'observation sur l'anneau de petites planètes qui circulent autour du Soleil, entre Jupiter et Mars, et dont le nombre est encore inconnu. Je passe sous silence les conjectures, d'ailleurs fort curieuses, récemment émises sur leur origine ou sur leur mode de formation. La raison de cette réserve est facile à comprendre si l'on veut bien se reporter au but de ces causeries, but de vulgarisation, soit des connaissances positives et rigoureusement démontrées, soit des hypothèses probables de l'astronomie, — le mot *hypothèse* étant pris ici dans le sens indiqué dans une causerie précédente.

Mais nous voici parvenus dans l'ordre de nos pérégrinations interplanétaires, au plus colossal des mondes de notre système, si l'on excepte, bien entendu, le Soleil lui-même : c'est Jupiter que nous allons explorer et décrire.

On sait déjà, par les détails que j'ai donnés sur la généralité des planètes, que le volume de Jupiter est plus de quatorze cents fois celui de la Terre. Son plus grand diamètre dépasse onze fois le diamètre terrestre ; il mesure près de 36,000 lieues de 4 kilomètres, de sorte que la circonférence correspondante est de cent douze mille lieues.

Si les moyens de locomotion dont disposent les habitants de Jupiter ne sont pas plus rapides que les nôtres, il est à présumer que l'exploration de la planète est bien imparfaite encore, puisque, pour parcourir de part et d'autre d'un lieu donné les deux demi-cercles qui forment le tour entier de ce monde gigantesque, il doit falloir au moins une dizaine d'années. On comprend, du reste, que les conditions de viabilité dépendent beaucoup de la distribution des accidents du sol, de la répartition des continents et des mers, et en définitive, de l'état climatérique de la planète. Or on ne connaît encore que fort peu de chose sur tout cela, ou du moins on en est réduit aux conjectures.

Des bandes obscures, permanentes, ou du moins ne variant de position ou de forme qu'à d'assez longs intervalles, sillonnent le disque d'un blanc jaunâtre qu'offre Jupiter, vu au télescope. Des points particuliers de ces bandes ont démontré, par leur mouvement périodique sur le disque et leurs disparitions et réapparitions successives, que Jupiter a un mouvement de rotation sur lui-même dirigé d'Occident en Orient, c'est-à-dire dans le même sens que son mouvement de révolution autour du Soleil. La durée entière d'une de ces rotations est de neuf heures cinquante-cinq minutes ; ce qui dénote un mouvement angulaire deux fois et demi aussi rapide que la rotation du globe terrestre. Un point situé à l'équateur de Jupiter parcourt en une minute, et par le seul fait de sa révolution autour de l'axe, une distance d'environ cent quatre-vingt-neuf lieues.

En supposant que Jupiter ait été, comme la
Terre, primitivement fluide, le mouvement rotatoire dont il s'agit, a dû avoir pour effet d'a-
platir le globe aux deux pôles de l'axe de rotation, ou, ce qui revient au même, de le renfler
dans les parties voisines de son équateur. Des
mesures précises ont en effet constaté l'existence de cet aplatissement qu'on évalue à un
quatorzième. Cela revient à dire qu'il y a, entre
le diamètre le plus petit, celui qui aboutit aux
pôles, et le diamètre le plus grand, celui de l'é-
quateur, une différence qui équivaut à la quatorzième partie du second.

La variation des saisons dans Jupiter est très-
faible : il en est de même de la différence de
durée du jour et de la nuit. Les plus longs jours
y sont de cinq heures : ce qui ne dépasse guère
la moitié de la durée du jour astronomique ou
de la rotation entière. Ces deux faits tiennent au
peu d'inclinaison du plan de l'orbite sur celui
de l'équateur de la planète. L'axe de rotation
est presque perpendiculaire au premier de ces
plans, de sorte que, pour l'horizon d'un lieu
quelconque, le Soleil est presque toujours, dans
l'intervalle d'une révolution sidérale, à la même
hauteur apparente.

En outre, les saisons y ont une longueur environ douze fois plus grande que sur la Terre :
c'est, en effet, en 11 ans, 10 mois et 18 jours à
peu près que Jupiter accomplit sa révolution sidérale autour du foyer de notre commun système. Il s'en éloigne, dans son mouvement de
translation, de 207 millions de lieues et s'en
rapproche jusqu'à 188 millions. C'est en
moyenne, ainsi qu'on l'a vu plus haut, à propos
de la loi empirique de Titius, cinq fois la distance de la Terre au Soleil.

L'immense courbe de un millard deux cent
cinquante millions de lieues que parcourt ainsi
Jupiter, est, comme toutes les trajectoires planétaires, une ellipse dont l'excentricité est
trois fois plus considérable que l'orbite terrestre, et qui, par conséquent, est plus allongée
que cette dernière.

A la distance considérable où Jupiter se trouve du Soleil, l'intensité de la lumière et de la
chaleur que ce dernier astre lui envoie n'est
plus qu'une faible fraction de celle dont béné-
ficie la Terre : mais il ne faut pas se hâter d'en
conclure que la température effective des saisons de Jupiter est réduite dans une aussi
grande proportion : j'ai déjà fait observer,

dans une circonstance analogue, que la température dépendait d'une série d'autres conditions physiques encore inconnues pour Jupiter.

Néanmoins, on a de fortes raisons de croire que ce globe immense est pourvu d'une enveloppe atmosphérique. C'est ainsi qu'on explique la variation de certaines taches observées sur le disque, variation qui a d'abord entraîné quelque incertitude dans la mesure de la durée du mouvement rotatoire. Les bandes obscures sont regardées comme des parties plus sereines de l'atmosphère à travers lesquelles on aperçoit le sol même, tandis que les parties brillantes sont considérées comme d'immenses couches nuageuses, divisées en bandes, près de l'équateur, par la rapidité du mouvement de rotation. On en conclut l'existence de vents équatoriaux, réguliers, analogues aux vents alisés qui soufflent à la surface de notre globe.

Jupiter n'est point, comme Mars, une planète qui voyage isolée dans l'espace, sans relation plus intime avec d'autres corps planétaires. Il entraîne avec lui tout un petit monde, composé, outre son propre globe, de quatre satellites d'assez fortes dimensions, qui circulent autour de lui, maîtrisés par son énergie attractive.

Le monde de Jupiter obéit, dans ses mouvements, aux lois de Képler, conséquences de la force de gravitation, et l'observation a donné de ce fait la confirmation la plus positive, appuyée des plus minutieux détails. Aussi a-t-il été permis de connaître avec une grande approximation la masse de la planète centrale, masse qui, mille cinquante fois plus faible que celle du Soleil, vaut encore trois cent trente-huit fois celle de la Terre.

Vu à l'œil nu, Jupiter a l'éclat d'une étoile de première grandeur, presque aussi brillante que Vénus. On affirme que sa lumière est assez forte quelquefois pour donner des ombres sensibles aux objets éclairés par la seule lumière des étoiles, phénomène bien constaté pour Vénus, mais moins certain pour Jupiter lui-même.

Si l'on se sert, pour le regarder, d'une lunette d'un grossissement d'ailleurs assez faible, il apparaît sous la forme d'un disque à peu près circulaire accompagné de deux, trois ou quatre petites étoiles, selon l'époque de l'ob-

servation ; ces petits astres rangés de part et
d'autre en ligne droite, à des distances inégales de Jupiter, sont les satellites de la planète.
De temps à autre l'un d'eux disparaît soit derrière le disque, soit à une certaine distance de
son contour, pour reparaître quelque temps
après. Dans le premier cas, c'est une occultation simple, dans le second cas, c'est une véritable éclipse, produite par l'immersion du satellite dans le cône d'ombre que Jupiter projette derrière lui. Il arrive même qu'après avoir
pénétré dans ce cône, le satellite reparaît du
même côté du disque, phénomène qui dépend
de la situation relative de l'observateur, c'est-à-
dire de la Terre, de Jupiter et du Soleil.

Dans d'autres cas, c'est-à-dire, dans le mouvement contraire des satellites, on voit des
points brillants traverser le disque de la planète, accompagnés de points noirs, d'une forme bien nette et bien ronde, qui ne sont autre
chose que les ombres projetées de ces corps.
Il est évident qu'il y a alors, pour tous les lieux
parcourus par ces ombres, éclipse totale de
Soleil sur Jupiter.

Les satellites varient de grandeur et d'éclat
d'une façon régulière, et l'on a pu en conclure

qu'ils sont parsemés de taches d'inégale intensité et qu'ils tournent sur eux-mêmes, comme le fait la Lune autour de la Terre, de manière à montrer toujours la même face à la planète.

Il paraît certain que ces petits astres, bien qu'éclairés par le Soleil, réfléchissent des couleurs différentes, qui varient du blanc au blanc bleuâtre et à l'orangé.

Leur grosseur ne laisse pas que d'être assez considérable : elle surpasse, à l'exception du plus petit, la grosseur de notre Lune, ainsi qu'on peut s'en convaincre par les dimensions suivantes des diamètres, rangés suivant l'ordre des distances à la planète : 1020 lieues ; 860 l. ; 1500 l. ; 1050 l.

Les distances du centre de Jupiter sont de 108000 lieues pour le satellite le plus voisin, de 342000 pour le second, de 550000 pour le suivant, de 940000 enfin pour le plus éloigné de tous. Cette dernière distance est environ dix fois celle qui nous sépare de notre Lune.

Mais la rapidité des mouvements contraste plus encore avec celui de notre satellite. Tandis que la Lune met 27 jours à effectuer sa ré-

volution, les satellites de Jupiter exécutent les
leurs, en 1 jour 3/4, en 3 jours et demi, en
7 jours 3 heures, et enfin, en 16 jours 16
heures.

Je laisse au lecteur le soin d'imaginer la
variété des phénomènes dont les satellites sont
l'occasion pour les habitants de Jupiter ; les
éclipses fréquentes soit des satellites, soit du
Soleil ; leurs rapides mouvements ; les diverses nuances dont brille leur lumière ; leur présence simultanée dans le ciel, ou leur complète disparition.

Dans la première partie de notre description
du système solaire, nous avons été surtout
frappé de la constance et de la généralité des
grandes lois qui régissent tous ces mondes,
petits et grands. Ce n'est qu'en faisant abstraction de toutes les différences, de tous les
contrastes qu'on voit apparaître l'unité pleine
de grandeur, des phénomènes célestes. Maintenant, au contraire, nous insistons sur tout ce
qui distingue et différencie ; et nous trouvons
matière, matière non moins abondante, à admirer l'étonnante variété des configurations,
des constitutions physiques des différentes
planètes et de leurs systèmes.

En quittant le monde de Jupiter, pour visiter celui de Saturne, nous aurons lieu de nous étonner encore à la vue de phénomènes tout nouveaux, qui font de cette planète une des plus curieuses du système planétaire.

DIX-HUITIÈME CAUSERIE.

Le monde de Saturne. — Uranus et Neptune.

A une distance moyenne de trois cent soixan-
te-deux millions de lieues du foyer de notre
système solaire, c'est-à-dire à plus de neuf fois
la distance, énorme déjà, qui nous sépare du
Soleil, circule, dans une période d'environ
trente années, un globe dont le volume vaut
sept cent trente-cinq fois le volume de la
Terre. Il nous apparaît à l'œil nu, comme une
étoile de première grandeur, dépourvue de
scintillation et animée d'un mouvement propre très-lent.

Prenez une lunette d'un moyen grossissement, vous verrez alors l'étoile dont je parle sous la forme d'un disque de couleur blanche, d'une teinte un peu plombée, entouré de deux appendices de forme particulière. Avec un grossissement plus considérable, ces appendices auront tout l'aspect des parties extrêmes d'un corps annulaire vu en perspective, et qui entoure le globe central sans le toucher. Huit petites étoiles, inégalement éloignées, situées de part et d'autre du disque et dans des directions parallèles au plan de l'anneau l'accompagnent incessamment en se mouvant dans les deux sens, saus jamais dépasser certaines limites de distance.

C'est, comme on voit, tout un monde, entraîné lui-même dans son ensemble autour du Soleil. La courbe qu'il décrit dans la période de vingt-neuf ans et cinq mois et demi, est, comme toutes les orbites planétaires, une ellipse ayant le Soleil à l'un de ses foyers. L'allongement de cette courbe, mesurée par l'élément que nous avons déjà plusieurs fois appelé du nom d'excentricité, est tel, que la différence entre la plus courte et la plus grande distance au Soleil est d'à peu près quarante millions six cent mille lieues.

Tel est le monde de Saturne, c'est-à-dire de la plus importante des planètes du système solaire après Jupiter si l'on considère les volumes, et la plus curieuse de toutes si l'on a en vue l'étrange et unique système de son anneau satellite.

On vient de voir quel est le volume de Saturne comparé à celui de la Terre : j'ajoute que son diamètre réel est plus de neuf fois celui de notre globe, ce qui lui donne une dimension de quatorze mille trois cent cinquante lieues de quatre kilomètres.

Mais cette planète ne reçoit guère plus de la centième partie des quantités de lumière et de chaleur envoyées par le Soleil à la Terre ; comme tout fait croire qu'elle possède une atmosphère, il est fort possible que les propriétés particulières de cette atmosphère compensent l'infériorité dont je viens de parler : la science ne sait encore rien à cet égard.

Ce qu'on peut affirmer, c'est que la lumière de Saturne ne lui est pas propre : il suffit, pour se convaincre de cette vérité, que l'analogie eût engagé à admettre, d'observer, dans certaines positions de la planète, l'ombre portée de l'anneau sur son disque. De même, l'ombre que le globe de Saturne projette derrière lui, obscurcit la partie postérieure visible de l'anneau et démontre ainsi que l'anneau n'est pas non plus lumineux par lui-même.

Les mouvements des satellites ont permis, par la méthode que j'ai essayé plus haut de faire comprendre, de calculer la masse de Saturne et, par suite, sa densité. Trois mille cinq cents globes, d'un poids égal au sien, équilibreraient dans une balance le poids du Soleil ; ou encore, le poids de Saturne vaut cent et une fois le poids du globe terrestre, ce qui indique, pour la densité moyenne de sa substance comparée à celle de la Terre, un peu plus du dixième.

Saturne est connue de toute antiquité : mais il n'y a guère que deux cent cinquante ans que son anneau a été aperçu pour la première fois par Galilée, grâce à la récente invention des lunettes. Mais le pouvoir grossissant de ces instruments était encore si faible que l'illustre observateur ne put comprendre ce qu'étaient les appendices lumineux dont l'image venait confusément se joindre, de chaque côté du disque de Saturne, au foyer de sa lunette. Saturne lui semblait tricorps : « Lorsque j'observe Saturne, dit-il dans une lettre que nous empruntons à l'*Astronomie populaire*, avec une lunette d'un pouvoir amplificatif de plus de trente fois, l'étoile centrale paraît la plus grande; les deux autres, situées l'une à l'Orient, l'autre à l'Occident, et sur une ligne qui ne coïncide pas avec la direction du zodiaque, semblent la toucher. Ce sont comme deux serviteurs qui aident le vieux Saturne à faire son chemin et restent toujours à ses côtés. Avec une lunette de moindre grossissement l'étoile paraît allongée et de la forme d'une olive. »

C'est Huyghens qui, cinquante ans plus tard, découvrit la vérité, reconnut que le globe de Saturne était réellement entouré d'un anneau plat et d'une mince épaisseur, qui n'adhérait d'aucun côté au corps de la planète.

En voici la description sommaire :

Qu'on imagine un corps annulaire, de forme circulaire, plat et mince, entourant le sphéroïde de manière que son plan passe par le centre de la planète. Le contour extérieur de cet anneau est situé à une distance du centre de

Saturne, qu'on peut évaluer à trente-six mille lieues environ, ce qui indique une distance de plus de vingt mille lieues de la surface du globe lui-même. Le contour intérieur est éloigné de cette surface de plus de neuf mille lieues ; d'où il est facile de conclure la largeur de l'anneau lui-même, largeur égale à plus de onze mille huit cents lieues. Enfin l'épaisseur de l'anneau est moindre de cent lieues.

En observant plus attentivement la surface plane du curieux appendice dont on vient de voir les dimensions, les astronomes se sont convaincus qu'il est double ; un trait noir intérieur et également de forme circulaire indique entre les deux anneaux un intervalle obscur : c'est le ciel qu'on aperçoit au travers du vide qui les sépare. La largeur de ce vide est de plus de sept cents lieues.

Maintenant est-il certain que d'autres lignes de séparation aient été observées, de manière que l'anneau serait triple, quadruple et même quintuple ? C'est fort possible, mais cela mérite confirmation. Ce qui paraît hors de doute, c'est qu'entre la planète et le premier anneau intérieur, un anneau est en voie de formation. Moins brillant, moins lumineux que les deux autres, il paraît transparent et par suite gazeux, tandis qu'il est plus probable que ces derniers sont solides ou au moins liquides.

Tout porte à croire qu'un pareil système est animé d'nn mouvement continu de rotation autour du centre de Saturne. D'anciennes observations ont permis de constater à ce mouvement une durée de dix heures et demie : mais depuis, on n'a pu rien voir.

La théorie toutefois indique que l'équilibre d'un système semblable serait instable, s'il était immobile. Dès lors, l'attraction des corps célestes voisins, notamment celle du colossal Jupiter, rompant cet équilibre, eût déjà précipité l'anneau sur le corps de la planète, en la réduisant en morceaux. Laplace, appliquant le calcul à cet intéressant problème, a déterminé la durée théorique de la rotation de l'anneau : il a trouvé ainsi dix heures et un quart, ou à très-peu près la durée déduite de l'observation.

Le mouvement rotatoire de l'anneau a donc une grande probabilité.

Qu'on se représente maintenant le curieux et grandiose aspect que doit présenter aux habitants de Saturne, ce triple anneau suspendu dans les airs, ce pont gigantesque tour à tour éclairé ou plongé dans l'ombre et dont la distance à la surface n'est guère que le dixième de celle qui sépare la Lune de la Terre. Ce n'est pas tout : huit satellites tournent incessamment, à des distances inégales, présentant à Saturne leurs phases variées, leurs éclipses fréquentes, tantôt éclairant les nuits de leurs lumières combinées, tantôt disparaissant pour les laisser dans l'ombre. Les éclipses de Soleil, produites soit par l'interposition des satellites, soit par l'anneau lui-même, ajoutent encore à la variété de ces nombreux phénomènes.

Comme Saturne tourne lui-même sur un axe en dix heures seize minutes, et que l'inclinaison du plan de son équateur avec celui de son orbite est assez considérable, il en résulte une différence assez grande entre les durées comparatives du jour et de la nuit aux différentes saisons. Son année est aussi, comme on l'a vu, relativement fort longue, et les quatre saisons qui se partagent cette durée de près de trente ans, ne sont pas d'une longueur moins énorme, si on les compare à cet égard aux saisons terrestres.

Saturne est aplati : la différence entre son diamètre équatorial et son diamètre polaire est de la dixième partie du premier, quantité fort grande, qui s'explique par la rapidité du mouvement de rotation.

Pour terminer ce que le monde de Saturne présente d'intéressants détails, il reste à signaler les taches dont son disque est parsemé ; taches de forme analogue à celle des bandes de Jupiter, les unes obscures, les autres brillantes, et très-variables d'éclat. Il est impossible de ne pas conclure de l'observation de ces taches qu'elles sont dues à des phénomènes atmosphériques. Vers les pôles, on a constaté, comme pour Mars, l'apparition et la disparition successive de taches blanchâtres, dues probablement à l'invasion des neiges ou des glaces.

Les satellites de Saturne sont plus petits que ceux de Jupiter. Comme ces derniers, et comme la Lune, en même temps qu'ils tournent autour de la planète, ils exécutent sur eux-mêmes une rotation de même durée que leur révolution. De sorte qu'un caractère commun à tous les satellites, semble être de présenter toujours la même face au corps planétaire central.

Les temps de leurs révolutions varient entre 22 heures 37 minutes, et 79 jours 7 heures 53 minutes. Leurs distances au centre de Saturne, qui d'ailleurs sont liées à ces révolutions par la troisième loi de Képler, varient de quarante huit mille lieues à neuf cent vingt mille lieues.

Comme l'anneau de Saturne se présente à nous suivant diverses inclinaisons, en raison des situations relatives de Saturne et de la Terre, il arrive une époque où son plan venant à passer par la Terre même, on ne peut plus le voir que par sa tranche. C'est-à-dire qu'à moins des grossissements les plus puissants, l'anneau devient invisible. Alors les satellites, dont l'orbite coïncide à fort peu près avec ce plan même, paraissent, selon l'expression pittoresque d'Arago, « des grains de chapelet brillants et mobiles. »

A mesure que nous nous enfonçons dans les profondeurs du système solaire, les particularités physiques des mondes que nous trouvons sur notre route deviennent plus difficiles à saisir ; les observations sont de plus en plus incertaines, les résultats numériques qu'elles donnent varient de plus en plus, suivant les observateurs ou même selon les instruments dont ils étaient pourvus.

Mais en degré de certitude permanent, c'est celui qui est relatif aux mouvements de ces corps si éloignés de notre globe terrestre. A ces distances immenses, les rapports indiqués par les grandes lois de la mécanique céleste subsistent dans leur rigueur : caractère admirable qui témoigne hautement de la majestueuse beauté de ces lois.

Les irrégularités, quand il en existe, les perturbations de ces mouvements, bien loin d'être en contradiction avec elles, en sont la confirmation la plus éclatante ; bien loin de nuire aux progrès de la science même, elles ont servi à reculer les bornes des connaissances astronomiques, en permettant d'accroître, par un prodigieux effort de calcul, le nombre des corps célestes qui gravitent autour de notre Soleil.

Notre voyage touche à sa fin : du monde de Saturne nous allons nous élancer sur celui d'Uranus et sur Neptune, les deux dernières planètes connues du monde solaire, conquêtes de l'astronomie moderne.

16

Vue de la Terre, Uranus n'apparaît plus que comme une étoile de sixième grandeur, quelquefois invisible, plus rarement visible à l'œil nu. Et cependant son diamètre a encore une dimension de 13783 lieues, c'est-à-dire, plus de quatre fois celui de la Terre ; son volume vaut quatre-vingt-deux fois le volume du globe terrestre.

Mais ce qui explique la petitesse de son diamètre apparent, c'est l'énorme distance qui moyennement nous en sépare, distance qui dépasse sept cent cinquante millions de lieues, deux fois environ celle à laquelle nous sommes de Saturne.

Comme Jupiter, comme Saturne, et pour les mêmes raisons, Uranus n'offre aucune apparence de phases. Son orbite nous enveloppe à une telle distance que la face qui regarde la Terre est toujours la face éclairée. Le mouvement propre d'Uranus, c'est-à-dire son déplacement parmi les étoiles, indice de son mouvement de translation autour du Soleil, est extrêmement lent ; et cela devient facile à comprendre quand on sait que la durée de sa révolution sidérale est de 30687 jours terrestres, ou environ 84 ans.

Sa masse est évaluée à environ la vingt-millième partie de celle du Soleil, nombre à peu près dix-huit fois supérieur à celui qui mesure la masse de la Terre. Quant à la densité, elle est un peu moindre du cinquième de la densité de notre globe.

Tels sont les éléments, en petit nombre comme on voit, dont la science est en possession et qui caractérisent la planète Uranus.

Tourne-t-elle sur elle-même? C'est probable, et l'analogie est, à ce point de vue, si forte, qu'elle a presque les caractères d'une loi. On a cru reconnaître dans son disque un aplatissement sensible, mais la mesure en est trop incertaine, et je m'abstiens de la donner. Si cet aplatissement était incontestable, il serait une preuve puissante à l'appui du mouvement rotatoire.

Uranus, comme toutes les grosses planètes de notre monde, est entouré de satellites. Le nombre en a été porté jusqu'à huit. Mais il faut avouer que plusieurs n'ont été aperçus qu'une fois. Ce n'est certes pas une preuve de leur non-existence : mais à notre avis, le doute est ici fort légitime. Il en est de même du sens de leur rotation, qui est considéré comme rétrograde, c'est-à-dire comme inverse de tous les mouvements connus, tant des satellites que des planètes principales. Comme les orbites des satellites d'Uranus sont presque perpendiculaires au plan de l'écliptique, il est assez difficile de juger du sens précis du mouvement.

Quant à la constitution physique de ce monde lointain, il est difficile d'en rien présumer. Tout ce qu'on peut dire, c'est que la lumière et la chaleur du Soleil arrivent à Uranus avec un affaiblissement considérable , c'est-à-dire avec une intensité qui est tout au plus les trois millièmes de celle qui est propre à la Terre.

Uranus n'était pas connu des anciens. Sa découverte date du mois de mars 1781. On fut quelque temps à le reconnaître pour une planète, assimilé qu'il était d'abord à une comète. Des observations et des caculs plus précis le rangèrent décidément au nombre des corps sphéroïdaux qui exécutent leurs mouvements autour du Soleil suivant des lois dont la description a été donnée dans les causeries précédentes.

Neptune est de découverte beaucoup plus

récente. Elle a été vue pour la première fois par un astronome de Berlin, au mois de septembre 1846. Mais le mode de découverte de Neptune diffère d'une manière si essentielle de celui qu'emploient les habiles chercheurs des astres errants, qu'il me semble à la fois instructif et curieux de chercher à faire comprendre cette différence.

La découverte d'Uranus, celle des planètes Cérès, Junon et Pallas, ont été le résultat de l'observation attentive du mouvement propre de ces astres sur le champ étoilé du ciel. La comparaison de la situation relative des points lumineux qu'offre le champ d'un télescope, avec la partie correspondante d'une carte céleste exactement tracée, peut suffire, à la rigueur, à la découverte d'une planète. En effet, les étoiles, dont la distance pour ainsi dire infinie enseigne qu'elles sont étrangères à notre monde planétaire, conservent, à cause de cette distance des positions relatives qui ne varient que d'une manière insensible ; tandis qu'une planète, dont la distance au Soleil, et par suite à la Terre, est considérablement moins grande, se mouvant réellement dans son orbite, se déplace constamment et d'une manière sensible sur la voûte céleste. L'observation de ce déplacement n'exige qu'une patiente étude de certaines parties du ciel, et la comparaison incessante de l'aspect qu'elles offrent avec les cartes d'étoiles.

Comme une planète, dans sa révolution entière autour du Soleil, coupe deux fois le plan de l'écliptique, il suffit, à vrai dire, pour la recherche des nouvelles planètes, de faire la revue des portions du ciel qui environnent la trace de ce plan. Aussi a-t-on construit, avec une grande précision, des cartes qui donnent la position des étoiles de toutes grandeurs, dans le voisinage de l'écliptique, et c'est de ces cartes que les astronomes font usage pour la découverte des astres nouveaux du système solaire.

Tel n'a pas été le mode de découverte de Neptune. L'existence de cette planète n'a pas été constatée d'abord par l'observation, mais prédite par le calcul, déduite des théories, déterminée dans sa position et ses éléments, au moyen d'une série de travaux effectués dans le silence du cabinet. La planète Uranus était affectée, dans son mouvement périodique, de perturbations qu'on ne pouvait attribuer à l'influence des planètes connues, de Saturne et de Jupiter. On en vint bientôt à comprendre la nécessité, pour expliquer ce défaut de concordance de la théorie et de l'observation, d'admettre l'existence d'une planète troublante inconnue. Mais entre cette hypothèse et la réalisation d'une telle prédiction, il y avait loin encore. La gloire du travail revient donc presque entière à l'astronome français qui, se mettant résolûment à l'œuvre, entreprit et mena à bonne fin ce travail hérissé de difficultés et de calculs longs et pénibles. C'est sur les indications de la théorie, publiées dans le courant de 1846, que, cherchant la planète inconnue dans la région du ciel calculé, on la découvrit sous l'aspect d'une étoile de première grandeur.

Neptune se meut avec une grande lenteur dans une orbite dont le rayon moyen ou la distance au foyer solaire est de un milliard cent quarante et un millions cinq cent vingt mille lieues. Cette courbe immense, la dernière trajectoire connue des planètes du système, offre donc un développement de plus de sept milliards cent soixante-douze millions de lieues. Cela fait une vitesse moyenne d'environ cinq mille lieues par heure (1).

La durée de la révolution de Neptune est, en effet, de 60126 jours ou de 164 ans et 266 jours.

Il y a une différence de 20 millions de lieues entre la plus grande et la plus petite distance de cette planète au Soleil : différence assez considérable en réalité, mais qui n'indique toutefois qu'une faible excentricité, moitié moindre environ que celle de l'orbite terrestre. La courbe décrite par Neptune approche donc beaucoup d'un cercle.

Le volume de cette planète est cent dix fois environ celui de la Terre, et son diamètre vaut près de cinq fois celui de notre globe. En l'évaluant en lieues de quatre kilomètres, on trouve environ quinze mille lieues, ce qui donne à sa circonférence une longueur approximative de qua-

(1) Voici un tableau qui permet de comparer, non les vitesses angulaires, mais les vitesses réelles des principales planètes dans leurs orbites. Il donne le nombre moyen de lieues de 4 kilomètres parcourues par chacune, en une heure de temps :

Mercure	44170 lieues.	Jupiter	12025 lieues.
Vénus	32250	Saturne	8875
La Terre	27500	Uranus	6250
Mars	22250	Neptune	5000

rante-huit mille lieues. La densité de Neptune
est un peu plus des deux dixièmes de celle de la
Terre, prise pour terme de comparaison, et sa
masse est à peu près évaluée à la quinze millième partie de la masse solaire.

Neptune est accompagné d'un satellite qui accomplit, en près de six jours, sa révolution autour de la planète centrale.

Que peut-on dire maintenant de sa constitution physique? Rien encore ; l'immense distance à laquelle se meut Neptune, le peu de
temps qui s'est écoulé depuis sa découverte,
n'ont permis de faire encore aucune observation qui puisse conduire à des conjectures probables sur la constitution de cet astre. On sait
seulement qu'à raison de cette énorme distance, la chaleur et la lumière solaire y arrivent
extrêmement affaiblies, de sorte que leur intensité n'est plus que la millième partie de celle
qui échoit en partage à la Terre.

On a soupçonné que Neptune est entouré
d'un anneau. Mais il paraît, que les observations qui ont donné lieu à cette hypothèse étaient
entachées d'une illusion d'optique, de sorte
qu'avant de se prononcer définitivement sur
cette circonstance, il est au moins prudent d'at-

tendre des observations nouvelles. Même chose avait été dite d'Uranus, mais cela ne s'est
pas vérifié.

Nous voici arrivés au terme de notre voyage.
Le monde planétaire a été exploré par nous
dans tous ses détails, depuis le foyer de chaleur,
de lumière et de vie, qui est notre Soleil, jusqu'aux plus lointaines régions, où son énergie
attractive maîtrise les corps célestes qui gravitent autour de lui.

Nous avons passé successivement de la chaleur la plus excessive aux froids que l'immense éloignement laisse supposer vers les extrémités de notre système, parcourant ainsi les
mondes les plus variés de grosseur, de mouvements, de constitution physique, ceux-ci voyageant solitaires dans leur orbite, ceux-là accompagnés d'un ou de plusieurs satellites, cet autre roulant dans l'espace, avec son globe immense, un anneau gigantesque, huit satellites,
et présentant à lui seul un développement de
deux millions de lieues.

Il semble, en comparant les divers éléments
de ces planètes, qu'on peut les partager en deux
groupes distincts, séparés entre eux par un

anneau de petits astres voyageant dans une zone peu étendue. D'une part, Mercure, Vénus, la Terre et Mars, de dimensions moyennes et peu inégales, animées de mouvements de rotation presque identiques en durée, forment le premier de ces groupes. D'autre part, Jupiter, Saturne, Uranus et Neptune, planètes gigantesques, animées de mouvements rotatoires rapides, accompagnées de nombreux satellites, forment à eux seuls une masse qui équivaut à la sept cent cinquantième partie de la masse solaire, et qui est deux cent vingt-six fois plus considérable que les masses réunies du premier groupe.

Chacun de ces groupes peut-il être considéré comme provenant d'une formation particulière? On ne sait. Il m'a semblé intéressant toutefois de faire ce rapprochement, qui ajoute quelque chose encore à l'harmonie du système et dont la théorie donnera peut-être un jour une explication rationnelle.

Si notre voyage interplanétaire est terminé, il nous reste encore, pour avoir une idée complète de notre monde, à passer en revue une nouvelle série d'astres, assez étranges, qui appartiennent, en grande partie du moins, au système dont notre Terre fait partie, et qui se distinguent, par des phénomènes particuliers, des planètes elles-mêmes. Je veux parler des comètes.

C'est aux comètes que je vais consacrer la causerie suivante, me réservant, pour un vingtième et dernier entretien, de tracer l'exposé rapide d'une grandiose hypothèse, formulée par le génie le plus positif et le plus élevé à la fois des astronomes qui ont immédiatement précédé l'époque contemporaine.

DIX-NEUVIÈME CAUSERIE.

Les Comètes. — Leurs mouvements périodiques ; leur constitution physique.

Si le Soleil, la Lune, les éclipses ont donné lieu à une foule de commentaires extravagants, si les astrologues et autres amateurs du merveilleux, plus communs qu'on ne le croit encore en notre siècle de lumières, se sont évertués à épuiser leur imagination dans les conceptions les plus excentriques, relatives aux phénomènes planétaires, il en a été bien autrement encore des Comètes. Les modernes, à cet égard, ne nous semblent pas être restés au-dessous des anciens.

Mais comme le but de ces entretiens n'est pas
de faire l'histoire des erreurs et des préjugés,
mais, tant bien que mal, celle de la science, je
laisserai de côté et le récit des terreurs engen-
drées par l'apparition des comètes, des superstitions que fit naître leur aspect étrange, et celui des explications plus ou moins entachées
d'inconséquences qu'on a prétendu donner de
leur intime constitution. Bien que la science ac-
tuelle soit remplie encore de doutes nombreux
sur diverses questions relatives à ces astres nébuleux, elle connaît toutefois assez de choses précises à leur égard, pour fournir la matière d'une
description intéressante ; je me bornerai donc à
dire ce qu'on sait. Tout au plus présenterai-je
les hypothèses jusqu'ici les plus probables, en
ayant soin de les donner comme telles.

Nous ne sommes plus au temps où les Comètes
étaient regardées comme des météores dont la
sphère ne sortait pas de l'air qui nous entoure ;
ce ne sont plus des feux passagers, des exha-
laisons grossières enflammées. Ce sont désormais — les calculs et les observations l'ont depuis longtemps démontré — de véritables astres qui se meuvent suivant des lois régulières,

bien qu'elles se distinguent essentiellement des planètes et des Soleils.

Au premier abord, et par l'aspect seul, est-il possible de les distinguer des planètes? Oui, en général ; voici à quels caractères.

Le plus ordinairement, une comète se compose d'une sorte d'étoile plus ou moins lumineuse : c'est cette partie que les astronomes ont coutume d'appeler le *noyau*. Une enveloppe d'apparence nébuleuse, plus ou moins étendue, entoure le noyau et forme la *chevelure*. De là le nom de comète qui, en grec, signifie, comme on sait, *chevelue*. Enfin une traînée de lumière accompagne ordinairement la tête de la comète, et bien que cette traînée, tantôt précède, tantôt suive le noyau lumineux, elle n'en a pas moins reçu en Europe le nom de *queue*. Les Chinois, peuple positif, dit-on, et utilitaire, lui ont donné le nom de *balai* : les comètes sont pour eux les balayeuses du ciel. Pour un lieu que les poëtes considèrent comme le symbole de la pureté, on conviendra que c'est tout au moins fort prosaïque.

Tels sont les caractères extérieurs qui servent à distinguer les comètes des autres astres.

Mais ces caractères sont-ils essentiels? Non, sans doute. Ainsi, par exemple, un grand nombre de comètes sont privées de l'appendice lumineux auquel on les reconnaît vulgairement. D'autres ont plusieurs queues. Enfin un assez grand nombre de comètes n'ont pas de noyau lumineux. La tête se compose alors seulement d'une nébulosité le plus souvent de forme circulaire.

Il importe donc d'ajouter aux distinctions qui précèdent, celles qu'on peut appeler astronomiques et qui caractérisent les mouvements de ces astres.

Les comètes, celles du moins qui atteignent la sphère de visibilité relative à la Terre, ont aussi le Soleil pour foyer de leurs mouvements. Les courbes qu'elles décrivent autour de notre Etoile centrale, sont toujours des ellipses, mais des ellipses extraordinairement allongées. Il en résulte que les comètes ne sont visibles pour nous que dans la partie de leur trajectoire la plus voisine du Soleil, un peu avant et un peu après le moment de leur périhélie (1).

_____

(1) Périhélie, des deux mots grecs *peri* auprès, et *hêlios*, Soleil. Aphélie, au contraire, des deux mots *apo*

Il est, en géométrie, une courbe dont le sommet ressemble approximativement à celui d'une Ellipse, mais dont les deux branches, au lieu d'aller se rejoindre, et en se refermant, de former l'ellipse, s'éloignent indéfiniment. On nomme cette courbe une *Parabole*. Eh bien, les ellipses cométaires sont si allongées que dans le voisinage de leur sommet ou périhélie, elles se confondent avec un arc de parabole.

Ainsi les comètes se distinguent des planètes par cette première différence : elles ont une excentricité considérable.

En second lieu, il arrive souvent que le sens du mouvement des comètes sur leurs orbites, au lieu d'être dirigé d'Occident en Orient, l'est au contraire d'Orient en Occident, c'est-à-dire qu'il est rétrograde ; circonstance qui ne se présente pour aucune planète, ni en général pour leurs Satellites. Sur cent quatre-vingt-dix-sept comètes dont le catalogue est sous nos yeux, quatre-vingt-dix-huit ont un mouvement rétrograde, quatre-vingt-dix-neuf un mouvement direct.

loin de, et *hélios*, Soleil. Le périhélie et l'aphélie sont les points extrêmes du grand axe de l'orbite des planètes et des comètes.

Enfin, l'inclinaison du plan de l'orbite d'une comète sur celui de l'Ecliptique est en général fort variable. Beaucoup approchent d'être perpendiculaires, circonstance que les planètes ne présentent jamais.

Le nombre des comètes est très-considérable. Il ne se passe guère d'année que les astronomes n'en découvrent plusieurs nouvelles. Mais il est vrai de dire qu'un grand nombre sont invisibles à l'œil nu : ce qui les a fait nommer *télescopiques*. Le public ne se préoccupant guère que de celles dont l'aspect l'étonne, soit par un grand éclat, soit par la dimension quelquefois considérable de la queue, il s'ensuit que pour lui les comètes sont assez rares. Et comme l'apparition de la plupart de ces astres est imprévue, — on verra pourquoi tout à l'heure, — il en résulte une extrême facilité à accepter les prédictions absurdes, les commentaires extravagants qu'on ne manque pas de faire en pareil cas.

Dans le nombre considérable des comètes aperçues et observées, il n'y en a encore que fort peu dont le retour ait été bien constaté. Cela tient à deux raisons : d'une part, les anciens

n'ont guère laissé d'indications précises sur les
comètes qu'ils ont vues, de sorte qu'il est à peu
près impossible aujourd'hui de s'assurer de
l'identité de celles dont les astronomes étudient
le cours avec celles dont l'histoire nous raconte l'apparition. Si les écrivains dont je parle ici
avaient pris soin d'indiquer plusieurs des
situations qu'une comète occupait dans le ciel
à plusieurs jours d'intervalle, il eût été possible de calculer les éléments avec une certaine
approximation, et dès lors les comparer avec
les éléments des comètes observées de nos
jours.

D'autre part, la durée de la plupart des périodes de révolution est si considérable pour
ces astres, que des siècles s'écouleront avant
leur retour et par conséquent avant qu'on puisse s'assurer par expérience de leur périodicité.

On comprend donc pourquoi les ouvrages
d'astronomie distinguent les comètes en périodiques et non périodiques. La périodicité dont
il s'agit est toute relative : aussi, pour éviter
toute confusion, la locution également employée de comètes à courtes périodes, de comètes à longues périodes, me semble-t-elle
préférable.

Parmi les comètes dont la périodicité a été reconnue et dont le retour a été observé, l'une d'elles, la comète de Halley, a une période d'environ 76 ans. Si l'on compare cette durée à celle de la plupart des autres comètes calculées, on peut, sans inconvénient, la ranger dans les comètes à courte période. Quatre ou cinq autres ont des périodes de durées à peu près égales à celles-ci ; seulement le retour n'a pu être encore vérifié. Mais combien d'autres mettent, pour parcourir leurs orbites trois cents, quatre cents, huit cents ans ! Deux mille, trois mille, quatre et cinq mille, et enfin jusqu'à cent mille ans !

En parcourant ces immenses orbites, les comètes suivent les lois de Képler, d'où il faut conclure qu'arrivés à l'extrémité du grand axe, la vitesse avec laquelle elles se meuvent doit être excessivement petite. Dès lors, n'est-il pas possible que de si faibles masses, emportées par un mouvement si lent, soient entraînées dans le centre attractif de quelque autre soleil, et que, voyageuses vagabondes, ces comètes échevelées passent ainsi d'un monde à l'autre, jusqu'à ce que la concentration de la matière qui les forme et la puissance d'attraction d'un astre énorme ou d'un groupe d'astres finissent par les attacher pour toujours à leur système.

Sept ou huit comètes intérieures paraissent désormais faire partie intégrante de notre système solaire, effectuant leurs révolutions en des temps très-courts, trois ans et demi, six ans trois quarts, sept ans trois mois, par exemple ; n'offrant d'ailleurs rien au point de vue de leur aspect particulier qui mérite quelque mention.

L'une d'elles cependant a subi une modification singulière : elle s'est séparée en deux parties distinctes qui voyagent à peu près de compagnie.

Une autre éprouve dans sa marche une accélération qui diminue sa période d'un ou deux jours et la rapproche ainsi peu à peu du Soleil. C'est à la résistance de l'éther qu'on attribue cette accélération ; c'est la première observation directe qui ait constaté l'existence de ce fluide dans les espaces célestes, existence démontrée logiquement par la propagation des ondes lumineuses.

Ici, je m'arrête un instant ; je veux répondre

à une objection qu'on ne manquera pas de faire. Si l'éther, dira-t-on, offre une résistance au mouvement des comètes, il paraît naturel d'en conclure que ce mouvement sera ralenti, et non pas accéléré, comme on vient de le voir. Or l'observation constate en réalité une accélération. Donc, il est impossible de l'attribuer à la résistance du milieu. Donc ce phénomène, bien loin de prouver que l'éther existe, est au contraire une preuve de sa non-existence.

Je crois avoir rapporté l'objection dans toute sa force. Eh bien, deux mots de réflexion vont la détruire.

Les comètes, comme les planètes sont attirées par le Soleil. Si elles ne tombent pas directement sur le Soleil, c'est qu'elles sont animées d'une force d'impulsion qui, combinée avec celle de la pesanteur, produit un mouvement elliptique autour du foyer d'attraction.

La résistance de l'éther diminue directement cette force impulsive, tangente à l'orbite. La pesanteur agit alors avec plus d'intensité et rapproche dans une certaine mesure la comète du Soleil. La courbe de l'orbite est donc par le fait diminuée dans ses dimensions ; et comme, en vertu de la troisième loi de Képler, les durées des révolutions sont liées aux dimensions de l'orbite, il s'ensuit que ses durées sont elles-mêmes réduites dans une certaine mesure.

Ainsi la résistance du milieu doit donc avoir pour effet, en raccourcissant l'orbite, d'accélérer le mouvement périodique, et c'est précisément ce que l'observation a constaté.

Mais alors on peut prévoir, pour un temps plus ou moins éloigné, l'instant où, le mouvement s'accélérant de plus en plus, la comète ira se plonger dans l'atmosphère enflammée du Soleil.

En est-il ainsi pour les planètes ? Non. Leur masse est relativement si considérable et le milieu éthéré si rare, qu'il a été impossible de constater encore une modification dans le mouvement des planètes.

Je viens de parler, à plusieurs reprises, de la faible masse des comètes. Sans doute, il doit y avoir une grande variété sous ce rapport, parmi des astres, dont les uns ont un volume beaucoup plus grand que les autres, qui tantôt possèdent un noyau, tantôt en sont dépourvus. Mais il est prouvé néanmoins que la masse des plus considérables est encore d'une extrême petitesse. Aucune comète observée n'a exercé, en effet, sur le cours d'une planète influence troublante sensible, tandis qu'au contraire les planètes dans le voisinage desquelles passent les comètes ont souvent produit des perturbations considérables dans leurs marches. La comète de Halley, par exemple, a éprouvé en 1759 de la part de Saturne un retard de cent jours, de la part de Jupiter, un retard de 518 jours.

Une autre comète a traversé deux fois le monde de Jupiter, sans que la marche des satellites en soit le moins du monde altérée.

C'est sans doute en raison de cette faiblesse de masse, que l'on observe une si grande variabilité dans la forme et dans l'éclat des comètes. Souvent, au retour de telle comète périodique, le changement est si grand qu'il serait difficile de reconnaître l'astre à son seul aspect : les éléments de son orbite sont pour cela indispensables.

Dans le courant même d'une portion de l'orbite parcourue, des modifications se produisent, pour ainsi dire, sous l'œil de l'observateur.

Quelle est la nature de ces agglomérations de

matière diffuse ? Sont-elles exclusivement gazeuses? Quelques-unes ont-elles un noyau réellement solide? Sont-elles lumineuses par elles-mêmes, ou ne nous renvoient-elles, au contraire, que la lumière réfléchie du Soleil? Enfin, d'où proviennent les queues des comètes? l'existence de ces appendices est-elle indépendante de leur position sur leur trajectoire?

Voilà une série de questions, auxquelles l'astronomie moderne n'a pas encore la prétention de fournir des réponses positives.

Laplace semble regarder les comètes « comme de petites nébuleuses errantes de systèmes en systèmes solaires et formées par la condensation de la matière nébuleuse répandue avec tant de profusion dans l'univers. »

Des expériences assez précises semblent démontrer que la lumière dont brillent les comètes est, au moins en partie, empruntée au Soleil. Et de fait, il est remarquable de voir combien leur éclat augmente d'intensité, à mesure qu'elles s'approchent du foyer de leur mouvement.

Sans doute aussi, elles éprouvent, pendant leur passage au périhélie, une très-haute élé-

vation de température, et par suite une dilata-
tion considérable. Leurs queues prennent alors
des proportions immenses, soit qu'une force
répulsive, inhérente au Soleil, chasse ainsi
leurs molécules dans une direction opposée,
soit que ces molécules s'élèvent en vertu de la
raréfaction que la chaleur produit dans leurs
atmosphères.

La forme de la queue varie beaucoup, suivant les comètes. Ici, c'est une sorte d'éventail
dont la partie moyenne est plus obscure que
les bords ; là c'est une longue bande lumineuse d'un éclat uniforme ; tantôt elle est re-
courbée, en forme de sabre ou de panache ;
tantôt enfin elle semble un cône immense dont
les arêtes plus éclatantes vont rejoindre et envelopper le noyau, et laissent supposer que le
cône lui-même est intérieurement creux.

On a cru remarquer dans les noyaux de quelques comètes, des changements de forme apparents, qui laisseraient supposer, soit un mouvement de rotation, soit une sorte d'oscillation
de ces noyaux. Si ce phénomène n'est point
hors de doute encore, il est du moins assez
probable.

Et maintenant, que faut-il penser de toutes les rêveries qu'on a débitées sur les comètes, des hypothèses innombrables qu'on a formées sans raisons, sur leur constitution physique, sur le danger que leurs passages périodiques peuvent faire éprouver aux planètes, et notamment à la Terre? Vraiment la science ne sait guère que répondre à des idées hypothétiques, qui ne reposent sur aucunes données.

Je ne ferai pas l'injure à mes lecteurs de réfuter la possibilité de l'influence occulte des comètes sur les événements humains, ni la signification redoutable de leurs apparitions. Les intelligences faibles et superstitieuses, les esprits troublés par des hallucinations mystiques peuvent encore s'occuper de ces fadaises. Mais l'astronomie n'a rien à voir à tout cela, et nous ferons comme elle.

Quant au choc possible de la Terre par une comète, on peut le nier ou l'affirmer sans manquer au bon sens. Il est seulement à croire que la faible densité des comètes rendrait ce choc peu dangereux; et d'ailleurs la probabilité d'un tel événement est si faible, qu'il n'y a vraiment pas lieu de s'en occuper. La Terre, traversant la

nébulosité d'une comète, aurait-elle à redou-
ter, soit une chaleur intense qui, se répandant
dans notre atmosphère, ferait périr tous les
êtres organisés, soit le contact de gaz délétères
qui les empoisonneraient? c'est ce qu'on ne
saurait encore nier ni affirmer, du moins en
s'appuyant sur de solides raisons.

Il est encore deux genres de phénomènes,
particuliers à notre monde solaire, et dont je
veux donner une rapide esquisse, avant de
terminer nos pérégrinations et nos causeries. Je veux parler de la lumière zodiacale et
des aérolithes.

Vers les mois de mars et de septembre, il
n'est pas rare d'apercevoir à l'horizon, avant le
lever ou après le coucher du Soleil, une lueur
en forme d'ellipse extrêmement allongée, et inclinée à peu près dans le sens de l'équateur solaire prolongé. C'est la lumière zodiacale.

Dans les contrées voisines de l'équateur, l'é-
clat de la lumière zodiacale est beaucoup plus
vif que dans les régions tempérées. Cet éclat
égale, dit-on, les parties les plus brillantes de
la Voie Lactée, ce qui s'explique par la pureté
plus grande du ciel et l'intensité moins forte
du crépuscule.

Le Soleil paraît donc entouré d'une sorte
d'anneau lumineux, dont la nature a été l'objet d'un assez grand nombre d'hypothèses. Celle qui semble aujourd'hui la plus probable,
c'est que la lumière zodiacale a pour cause la
lumière du Soleil, réfléchie elle-même par les
parties matérielles d'un anneau de substance
nébuleuse, qui environne l'astre central à une
assez grande distance. Cette matière est elle
formée d'une multitude de fragments solides,
ou au contraire a-t-elle la constitution d'un gaz?
c'est sur quoi la science ne peut se prononcer.
Dans le premier cas, il y aurait entre le phénomène que je viens de décrire et les aérolithes
une analogie fort remarquable.

Après avoir décrit les petites planètes qui
circulent autour du Soleil, à l'intérieur des orbites de Jupiter et de Mars, et signalé ce que
présente de caractéristique cet anneau d'astéroïdes, Arago ajoute : « Rien ne s'oppose à
l'hypothèse faite par plusieurs astronomes et
physiciens, de l'existence dans les espaces planétaires de corps ayant des proportions beaucoup plus faibles encore. Aussi a-t-on rattaché
dans ces dernières années, avec une très grande probabilité, aux lois générales du système

du monde, des météores qui avaient beaucoup occupé les anciens et qu'on avait vainement cherché à expliquer, soit par l'action de la foudre, soit par des condensations de vapeurs métalliques qui se seraient élevées jusqu'aux régions extrêmes de l'atmosphère terrestre, soit par des traînées de gaz hydrogène enflammé. Les pierres météoriques ou *aérolithes*, qui tombent à la surface de la Terre, les globes de feu nommés *bolides*, qui paraissent et disparaissent tout à coup et présentent un diamètre sensible, les *étoiles filantes* qui tracent un trait de feu presque sans épaisseur dans le ciel étoilé, ce ne sont plus là que des corps errants dans l'espace, et que notre planète vient rencontrer dans sa course annuelle autour du Soleil. » (1)

Je me borne à ces détails au sujet de ces curieux phénomènes. Les observations persévérantes, dont ils sont incessamment l'objet, ne peuvent tarder d'apprendre quel degré de probabilité l'on doit accorder à ces conjectures. Si, comme les savants inclinent à le croire, elle se vérifient un jour, ce sera un trait de plus de la

(1) *Astronomie populaire,* tome IV.

variété admirable des phénomènes que présente à nos yeux le système de notre monde.

Maintenant que nous avons parcouru ce monde en tous sens, que nous avons visité le foyer de force, de chaleur, de lumière que nous nommons notre Soleil, et les planètes qui obéissent à son énergie attractive, depuis celles qui l'entourent à de petites distances, jusqu'aux globes immenses s'éloignant de lui à des distances que notre imagination se figure à peine ; puis leurs satellites, leurs anneaux, les comètes vagabondes et les anneaux des petites planètes, l'anneau nébuleux de la lumière zodiacale et les myriades d'aérolithes qui viennent de temps à autre heurter notre Terre, ou frôler simplement notre atmosphère en s'enflammant ; maintenant que notre voyage de touristes curieux est terminé, ne serait-ce pas le moment d'embrasser d'un coup d'œil cet admirable système, et, remontant de l'observation et de la description des faits à la conception de leur génération, d'essayer d'expliquer, sans sortir des bornes de la vérité constatée, l'origine et le développement du monde planétaire ?

Laplace l'a tenté avec autant de génie et d'audace que de sage raison. J'essayerai, dans notre prochaine et dernière causerie de donner une idée de sa magnifique hypothèse.

VINGTIÈME CAUSERIE.

**Origine et formation du monde solaire. — Philosophie
de l'Astronomie.**

Si le but que je me suis proposé dans ces
causeries est atteint, du moins en partie, les lecteurs qui ont bien voulu me suivre jusqu'au
bout, doivent maintenant pouvoir se former de
l'Univers une idée générale assez juste.

Et d'abord, dans l'espace sans bornes ou du
moins auquel l'imagination ni la raison ne sauraient concevoir de limites, se meuvent des sé-
ries indéfinies de corps dont les agglomérations visibles les plus puissantes sont les nébuleuses, vastes systèmes de soleils qu'une ef-
froyable distance ne nous laisse plus apparaître

que comme les molécules imperceptibles d'une masse gazeuse de couleur blanchâtre : le grossissement, dont les instruments d'optique arment la vue de l'homme, résout ces masses immenses en leurs éléments constituants, c'est-à-dire en une innombrable quantité de soleils distincts, brillant de leur propre lumière.

Ces nébuleuses ne sont-elles pas elles-mêmes les éléments de systèmes plus vastes encore? C'est ce dont l'observation ne saurait actuellement donner la preuve ; toutefois, l'analogie, déduite ici, non de vaines ressemblances, mais des nécessités logiques que les principes mêmes de la mécanique rationnelle laissent clairement entrevoir, conduit à admettre l'extrême probabilité de l'existence de pareils groupes. Dès lors l'Univers nous apparaît, comme l'engrenage indéfini de systèmes, qui s'enveloppent les uns les autres et sont reliés tous par une même loi générale, n'offrant rien d'obscur ni de mystérieux, puisqu'elle est la loi même qui régit sous nos yeux les mouvements des corps célestes de notre système.

En descendant la série de ces systèmes, on arrive à des nébuleuses plus simples compo-

sées de deux ou plusieurs soleils entourés d'u-
ne véritable nébulosité, c'est-à-dire d'une enveloppe gazéiforme ; ou même à un soleil unique également entouré de la matière qui l'a
produit par une condensation graduelle.

Tantôt les soleils sont isolés, tantôt ils
sont groupés de manière à former des systèmes doubles, triples, quadruples, et à se mouvoir, suivant les lois générales des corps célestes, autour de leur centre commun de gravité;
la matière nébuleuse a disparu, ou s'est con-
centrée peu à peu autour de chaque globe, dans
un rayon dont la limite extérieure est inappréciable à la distance qui nous en sépare.

Il n'aurait pas suffi d'avoir cette idée générale du monde visible; et la connaissance même
très exacte des lois des mouvements n'aurait
pu fournir à notre intelligence qu'une image
imparfaite des fonctions réelles et vivantes de
ces grands corps, si nous n'avions quitté le domaine des généralités pour entrer dans l'étude
spéciale de leurs constitutions physiques.

A quoi servent ces mouvements généraux et
particuliers qui animent les astres? telle est la
question qui s'est naturellement présentée.

C'est alors, qu'examinant en détail notre monde, si petit quand on le compare au reste de l'Univers, si grand quand notre Terre et nous-mêmes servons de terme de comparaison, nous avons constaté que le Soleil est le foyer commun autour duquel gravite une nouvelle série de corps célestes, et que sa fonction est de fournir à tous, par une pondération admirable, le mouvement, la chaleur, la lumière et la vie.

Arrivés là, nous nous sommes arrêtés. C'est là en effet, que l'Astronomie cesse, laissant aux sciences physiques, à la géologie, à la science des corps organisés, le soin de pénétrer plus profondément dans la connaissance des lois de l'Univers. (1)

Ce sont là les sciences que doivent interroger et approfondir ceux que le désir de connaître enflamme, et qui regardent comme le plus noble besoin de notre nature, celui de pénétrer le

---

(1) On comprend, du reste, que l'astronomie et les sciences dont nous parlons, loin d'être étrangères les unes aux autres, se servent de secours et de mutuel appui : les progrès scientifiques quotidiens démontrent cette vérité à chaque instant.

mystère apparent des phénomènes variés dont la vie universelle leur offre le mouvant tableau.

Mais qu'ils se gardent de substituer — telle est du moins la marche prudente et sûre indiquée par la méthode si féconde des sciences positives — à la connaissance raisonnée des faits et des lois , l'illusion d'une cause imaginée *à priori* et dépourvue du caractère qui seul peut la légitimer aux yeux de la raison, c'est-à-dire du contrôle de l'observation, de l'expérience et du raisonnement.

Telle est la pensée que Laplace exprime, lorsqu'il laisse entendre que la nature n'a pas besoin d'une intervention occulte pour assurer la stabilité de ses systèmes :

« En vertu de la pesanteur les couches ter-
« restres les plus denses se sont rapprochées
« du centre de la terre, dont la moyenne den-
« sité surpasse ainsi celle des eaux qui la re-
« couvrent; ce qui suffit pour assurer la stabili-
« té de l'équilibre des mers, et pour mettre *un*
« *frein à la fureur des flots.* Ces phénomènes
« et quelques autres semblablement expliqués
« autorisent à penser que tous dépendent de
« ces lois par des rapports plus ou moins ca-

« chés, mais dont il est plus sage d'avouer l'i-
« gnorance, que d'y substituer des causes ima-
« ginées par le seul besoin de calmer notre in-
« quiétude sur l'origine des choses qui nous
« intéressent. »

Mais, s'il est contraire à une saine méthode de
s'élancer sans boussole dans le domaine de
l'absolu, il est très-légitime de chercher à coor-
donner tous les faits et toutes les lois particulières dans une conception générale qui nous
fasse remonter à l'origine probable des phénomènes actuels.

La science est-elle en état de fournir une réponse satisfaisante à la grande question de l'o-
rigine des mondes, et, en particulier, à celle de
la formation du nôtre ?

Déjà nous avons vu que les différentes
nébuleuses présentent, dans leur ensemble, le
tableau des évolutions successives de chacune
d'elle ; les unes, à l'état rudimentaire, sont des
agrégats de matière diffuse, possédant à peine
quelques indices de condensation ; les autres
offrent des centres multiples d'attraction déjà
plus lumineux ; d'autres présentent, ici des soleils tout formés, là des soleils en formation. Ail-

leurs des soleils s'éteignent, nous offrant le spectacle, soit de mondes en décadence, soit de transformations dont nous n'avons pas l'idée.

Combien d'années, combien de siècles faut-il pour que ces évolutions s'accomplissent? Les durées dont il s'agit sont certainement inconnues, mais, d'après les observations de plusieurs siècles, elles doivent être si considérables qu'aucun nombre ne saurait nous les faire comprendre. En assistant par la pensée à ces transformations immenses, les siècles, les milliers, les millions de siècles s'écoulent ; et les mondes naissent, se développent, vivent et meurent, nous donnant ainsi le sentiment de l'infinité de la durée!

La formation de notre monde solaire, avec les planètes et leurs satellites, ses anneaux d'astéroïdes, de bolides et de matière nébuleuse, a été l'objet d'une conception grandiose, appuyée sur les lois démontrées du mouvement et des phénomènes physiques, et donnant l'explication la plus rationnelle de l'état présent du système. L'auteur de cette hypothèse, Laplace, la donne d'ailleurs avec toute la réserve qu'exige la rigueur de la science.

Je terminerai ces causeries par un exposé succinct de cette genèse du monde solaire, que les observations nouvelles ne font que confirmer chaque jour davantage.

En remontant aussi loin que possible dans la série des siècles antérieurs, le Soleil et son cortége de planètes, et toute la matière qui compose les astres et les astéroïdes de son système, n'existaient que sous la forme d'une nébuleuse extraordinairement diffuse, ne présentant encore aucune apparence de condensation. Dans un pareil état de diffusion, les particules de matière sont assez éloignées, pour que la force répulsive détruise entièrement la force attractive qui tend à les réunir, à les grouper ensemble.

Mais à mesure que le temps s'écoule, le refroidissement provenant de leur rayonnement dans l'espace, peu à peu diminue l'action de cette force répulsive, et, permettant à l'attraction d'agir, rapproche et condense les diverses parties de la nébulosité diffuse. A mesure que cette condensation augmente, les centres d'attraction deviennent de plus en plus denses et lumineux, jusqu'à présenter enfin l'aspect des nébuleuses à noyaux.

La nébuleuse solaire a donc fini par offrir l'apparence d'un noyau lumineux entouré d'une atmosphère s'étendant autour de lui à une grande distance.

« Dans l'état primitif où nous supposons le « Soleil, dit Laplace, il ressemblait aux nébu-« leuses que le télescope nous montre compo-« sées d'un noyau plus ou moins brillant, en-« touré d'une nébulosité qui, en se conden-« sant à la surface du noyau, le transforme en « étoile. Si l'on conçoit, par analogie, toutes « les étoiles formées de cette matière, on peut « imaginer leur état antérieur de nébulosité, « précédé lui-même par d'autres états dans « lesquels la matière nébuleuse était de plus « en plus diffuse, le noyau étant de moins en « moins lumineux. On arrive ainsi, en remon-« tant aussi loin qu'il est possible, à une nébu-« losité tellement diffuse que l'on pourrait à « peine en soupçonner l'existence. »

Il faut maintenant expliquer comment peu à peu se sont adjoints au Soleil central tous les corps qui composent le système planétaire ; pourquoi les mouvements des planètes ont tous lieu dans un même sens, d'Occident en Orient ;

pourquoi le même fait se reproduit pour les satellites ; comment il a dû arriver que le mouvement de rotation du Soleil et celui de tous les autres corps qui gravitent autour de lui ont lieu dans le sens même des mouvements de translation ; quelle est la raison de la faible excentricité que présentent les orbes des planètes et des satellites ; pourquoi, enfin, les orbes des comètes ont au contraire une excentricité considérable.

Laplace, après s'être posé ces conditions du problème, examine en passant et réfute l'hypothèse de Buffon, qui faisant tomber dans le Soleil une comète, imagine qu'elle a dû lancer dans l'espace des torrents de matière en fusion dont les différents débris sont allés, à diverses distances, former les planètes et leurs satellites. Cette hypothèse, en effet, ne rend compte que de la première des conditions et n'explique aucune des autres.

Il montre que la cause de formation a dû embrasser toute la sphère des orbes planétaires, et dès lors n'a pu être qu'un fluide d'une immense étendue.

Il suppose donc, comme je l'ai dit plus haut,

qu'après une série de siècles, la nébuleuse primitive s'est réduite à un noyau lumineux entouré d'une atmosphère qui s'étendait jusqu'aux limites des orbites des planètes, en vertu d'une chaleur excessive, mais qui peu à peu et successivement s'est resserrée jusqu'à ses limites actuelles. Toute cette masse était animée d'un mouvement de rotation autour de son centre, mouvement uniforme, tant que ses diverses parties restèrent agrégées au tout lui-même.

A un instant donné, les limites de l'atmosphère étaient déterminées par la distance à laquelle la force centrifuge était équilibrée par l'attraction centrale. Mais, sous l'influence d'un refroidissement continu, l'atmosphère se resserrant et diminuant de volume, les limites auxquelles la force centrifuge et l'attraction pouvaient s'équilibrer se rapprochaient nécessairement du centre, en vertu de la loi de projection des aires, qu'on me permettra de ne point rapporter ici.

De là, l'abandon, aux limites primitives, d'une zône de vapeur condensée.

Successivement l'atmosphère solaire abandonna de la sorte, à des distances de plus en plus rapprochées du centre, des zônes de vapeur, dans le plan de l'équateur solaire, ou du moins fort près de ce plan.

Si un équilibre parfait eût continué d'exister dans ces zônes, elles eussent conservé la forme d'anneaux concentriques au Soleil. Mais c'eût été là l'effet d'un grand hasard.

Ces anneaux se disloquèrent, et les débris les plus considérables, peu à peu attirant et s'agrégeant les moindres, formèrent de petites nébuleuses animées de deux mouvements : mouvement de translation autour du centre primitif, mouvement de rotation autour de leur propre centre ; et ces deux mouvements, n'étant que la continuation du mouvement antérieur, durent conserver le sens de la rotation solaire.

Et c'est ainsi que naquirent les planètes.

Mais il est facile de comprendre qu'il en fut de ces nébuleuses partielles, comme de la nébuleuse totale ; la plupart d'entre elles, par la condensation graduelle de leurs atmosphères, donnèrent lieu à la formation des satellites. Seulement, l'attraction prépondérante de la planète centrale, provenant de la faible distance, allongeant les sphères des satellites vers le centre de la planète, rendit les durées de leurs rotations presque identiques avec celles de leurs révolutions. Après quelques oscillations, ces durées devinrent rigoureusement égales, et l'on explique ainsi à la fois pourquoi les satellites n'eurent plus eux-mêmes de satellites, et pourquoi ces corps présentent toujours la même face à la planète autour de laquelle ils gravitent.

La fluidité primitive des planètes, que démontrent à la fois les faits géologiques et l'aplatisment des pôles de rotation, est une conséquence toute naturelle de cette hypothèse : avant d'arriver à l'état solide, les noyaux planétaires, de gazeux qu'ils furent à l'origine, passèrent par l'état liquide, et ce n'est qu'après un refroidissement suffisant et des siècles de transformations que se formèrent enfin les croûtes solides, constituant le sol actuel des planètes.

Quant aux comètes, elles sont d'origine étrangère à notre monde. Ce sont en général de petites nébuleuses errantes de systèmes en systèmes solaires, parmi lesquelles plusieurs ont été retenues, grâce aux pertubations qu'elles ont subies et à l'énergie attractive du Soleil, dans des orbites ayant cet astre même pour foyer.

Telle est l'hypothèse formulée par l'illustre géomètre, qui édifia le plus beau monument scientifique des temps anciens et modernes, la *Mécanique céleste*. Le monde de Saturne conserve encore pour ainsi dire un témoignage de la vérité probable de cette conception.

« La distribution régulière de la masse des « anneaux de Saturne, autour de son centre « et dans le plan de son équateur, résulte na- « turellement de cette hypothèse, et sans elle « devient inexplicable : ces anneaux me parais- « sent être des preuves toujours subsistantes « de l'extension primitive de l'atmosphère de « Saturne et de ses retraites successives. »

Et maintenant, est-il besoin de répondre aux accusations banales dont ce grand génie et la science même ont été l'objet ? Que des fabricants de phrases, aussi vides que sonores, épuisent leur verve à la glorification de leurs vanités et de leurs petites passions, et, ne comprenant pas la poésie des conceptions astronomi-

ques, les accusent d'aridité et de sècheresse ;
on le conçoit. Que des rapsodes des vieilles
idées et des institutions finies se récrient et jet-
tent l'anathème aux vérités nouvellement démontrées, mais éternellement justes, on le conçoit mieux encore. Mais qu'importe ! la science
dédaignant ces attaques intéressées poursuit
avec calme son œuvre d'émancipation et de lumière.

Quant à moi, je ne puis mieux finir, en prenant congé de mes lecteurs, qu'en mettant ce
petit volume pour ainsi dire sous la protection
de l'auteur dont les idées ont fait l'objet de cette
causerie. J'emprunte donc à Laplace le para-
graphe par lequel il termine, dans un magnifique langage, son *Exposition du Système du
Monde*.

« L'astronomie, par la dignité de son objet
« et par la perfection de ses théories, est le
« plus beau monument de l'esprit humain, le
« titre le plus noble de son intelligence. Sé-
« duit par les illusions des sens et de l'amour-
« propre, l'homme s'est regardé longtemps
« comme le centre du mouvement des astres,
« et son vain orgueil a été puni par les frayeurs

« qu'ils lui ont inspirées. Enfin, plusieurs siè-
« cles de travaux ont fait tomber le voile qui
« cachait à ses yeux le système du monde.
« Alors il s'est vu sur une planète presque im-
« perceptible dans le système solaire, dont la
« vaste étendue n'est elle-même qu'un point
« insensible dans l'immensité de l'espace. Les
« résultats sublimes auxquels cette découverte
« l'a conduit sont bien propres à le consoler du
« rang qu'elle assigne à la terre, en lui mon-
« trant sa propre grandeur dans l'extrême pe-
« titesse de la base qui lui a servi pour mesu-
« rer les cieux. Conservons avec soin, aug-
« mentons le dépôt de ces hautes connaissan-
« ces, les délices des êtres pensants. Elles ont
« rendu des services importants à la navigation
« et à la géographie ; mais leur plus grand
« bienfait est d'avoir dissipé les craintes pro-
« duites par les phénomènes célestes, et dé-
« truit les erreurs nées de l'ignorance de nos
« vrais rapports avec la nature ; erreurs et
« craintes qui renaîtraient promptement, si le
« flambeau des sciences venait à s'éteindre. »

FIN.

Pour paraître prochainement

DU MÊME AUTEUR :

ESSAI

SUR

LA MÉTHODE

ou

MÉMOIRE SUR CETTE QUESTION :

Les **MÉTHODES** employées dans les Sciences

MATHÉMATIQUES, PHYSIQUES et NATURELLES

Sont-elles applicables aux Sciences

MORALES, POLITIQUES ET SOCIALES ?

Imp. Ménard et Comp., à Chambéry.

www.ingramcontent.com/pod-product-compliance
Lightning Source LLC
Chambersburg PA
CBHW071441050526
44396CB00005BB/854